Rodolfo,
Geraldo Rafael.
Ogni limite
ha una pazienza

Totò

Ogni limite ha una pazienza

a cura di Matilde Amorosi
con la collaborazione di Liliana de Curtis

Rizzoli

ISBN 88-17-84412-8

Prima edizione: maggio 1995

Introduzione

Dopo il successo di Parli come badi, *la prima raccolta delle battute di Totò, estrapolate da circa cinquanta film, era logico che si completasse il viaggio nel mondo esilarante delle totòate, visionando le rimanenti pellicole interpretate dal comico. All'inizio l'impresa si è rivelata ardua per due motivi: sembrava quasi impossibile che Totò, nella ricchissima produzione di bazzecole, quisquilie, pinzillacchere, non finisse col ripetersi e, soprattutto, era difficile reperire alcuni film meno noti, mai trasmessi dalla televisione, come, per esempio,* Sette ore di guai *e* Le sei mogli di Barbablù. *La tentazione di completare la raccolta delle battute di Totò, indicative, oltre che della sua creatività, anche della sua umanità, della sua particolare filosofia, maturata, come confessava egli stesso, combattendo la «guerra della vita», però era troppo forte per non tentare. Nella ricerca di nuovo materiale, oltre a rivedere alcuni film già esaminati che, inaspettatamente, a una più attenta lettura, rivelavano piccoli e inediti gioielli di comicità, con la collaborazione di Liliana de Curtis, ho rintracciato totologi e totolatri, i quali mi hanno messo a disposizione l'intera filmografia di Totò. E a questo punto, ogni possibile dubbio sulla sua miracolosa capacità di rinnovarsi, si è dissipato. Il comico, abituato a improvvisare sul set le sue battute, considerando il copione un sempli-*

ce canovaccio, secondo lo schema della Commedia dell'Arte, è veramente un artista inesauribile. Se possibile, le totòate di questa seconda raccolta sono più divertenti e più originali di quelle contenute nella prima, attuali al punto che i vari capitoli in cui sono raggruppate, in ordine alfabetico, hanno titoli che spesso riflettono aspetti della nostra società. Come non pensare a Tangentopoli, per esempio, quando Totò esclama: «Gente che pappa? Arrestiamola!», o non riflettere sulla crisi della famiglia, sentendolo sentenziare: «Non hai la mamma? Non hai nessuno? Allora sei un singolo: tu sei nato con la camicia!».

La modernità di Totò, il suo intuito nell'irridere luoghi comuni e schemi morali e sociali oggi considerati logori, sono elementi determinanti del suo enorme successo presso i giovani, del crescere del suo mito che non conosce tramonto. Oltre a divertirci con le sue gag *sempre nuove, spesso con una verità intima e profonda nascosta dietro l'inevitabile effetto comico, Totò ci sorprende giocando con le parole, che, distorte nell'accentazione o nello scambio di vocali e consonanti, creano un vero e proprio linguaggio. Filastrocche, scioglilingua e vocaboli coniati con prodigiosa fantasia rispecchiano il mondo di Totò, caratterizzato dallo sforzo costante di sfuggire all'ovvietà, ridendo con deliziosa malignità dei paroloni e dei discorsi seriosi che, come racconta Liliana, gli sembravano troppo spesso vuoti di contenuti autentici. A lui, per sintetizzare una situazione, per distruggere un odioso avversario, per denunciare una imbecillità, basta una battuta fulminante, un'espressione del viso e, a volte, perché no?, una pernacchia. La meravigliosa semplicità dell'umorismo di Totò che ci fa tornare bambini nell'abbandonarci gioiosamente alla risata liberatoria, quella per cui, almeno per un attimo, riusciamo a dimenticare i guai, risplende, è proprio il caso di dirlo, in questa seconda raccolta delle sue battute, il cui titolo sembra rispecchiare lo stato d'animo degli italiani, sul*

punto di perdere la pazienza. Uno stato d'animo che il comico, con uno dei suoi tipici giochi di parole, esprime in chiave ironica, insinuando il dubbio che lamentarsi serve poco e che tanto vale riderci sopra. Quisquilie che sono anche una bonaria lezione di vita e hanno spesso una gradevolissima musicalità, tanto che nel metterle insieme, ho avuto la sensazione che avessero una loro logica concatenazione, quasi fossero le note di una canzone. La canzone di Totò che tutti continuiamo a cantare, come se lui fosse ancora vivo accanto a noi a insegnarci che l'umorismo è l'unica ancora di salvataggio nella «guerra della vita». E se qualche volta riflette su argomenti seri, come la miseria e la morte, il comico, nella sua vocazione a divertire la gente, sente quasi il bisogno di scusarsi e spiega che una lacrima, in fondo, è solo «l'altra faccia del sorriso».
A questo punto non ho altro da aggiungere, tranne che nel completare la mia esplorazione nell'universo comico di Totò, nel tessere l'ultimo tassello di un mosaico di battute messe insieme con lo spirito del collezionista, o del filatelico alla ricerca del francobollo raro, ho provato un po' di malinconia, una specie di lacerazione interiore. Ormai le totòate sono finite, ho pensato, col rimpianto di perdere quell'inimitabile compagno di viaggio che è stato per me il principe de Curtis. Ma poi ho ricordato una frase di Pirandello, adattabilissima al suo mito: «Chi nasce personaggio, chi ha la ventura di nascere personaggio vivo, può infischiarsi anche della morte. Non muore più!» e mi sono detta che non mancheranno altre occasioni per partire con Totò verso nuove avventure. Per ora, però, devo salutarlo e, considerando quanto ci ha fatto ridere, aiutandoci con i suoi sberleffi a esorcizzare le noie e le miserie quotidiane, nel rispetto del suo stile, essenziale anche nel sentimentalismo, non trovo di meglio da dirgli che poche, semplici parole: «Grazie, caro, carissimo Totò!».

Matilde Amorosi

Ringraziamenti

Si ringraziano per la loro preziosa collaborazione gli attori Vito Cesàro e Antonino Miele, fondatori dell'Ente Autonomo Antonio de Curtis di Bellizzi e l'Associazione Antonio de Curtis di Roma presieduta da Liliana de Curtis.

Quando più battute sono tratte dallo stesso film, il titolo viene indicato solo nella prima battuta.

Ogni limite ha una pazienza

Faccio tanti film in cui sono costretto a inventarmi tutto, il mattino arrivo in teatro e trovo che non c'è niente, debbo creare i lazzi, le battute, tutto da zero.

Totò

Affari di famiglia

Dagli amici mi guardo io dai parenti mi guardi Iddio. (*Totò cerca pace*)

Come è gentile per essere una parente: sembra un'estranea!

Credevo che mia moglie fosse una carogna finché non ho visto la sua.
(*Totò, Peppino e le fanatiche*)

Ho cinque figlie che vogliono fare le attrici, possiamo mettere su un canile.
(*Totò e i re di Roma*)

Una moglie buona, solerte e saggia? Ho capito, deve essere strabica! (*Destinazione Piovarolo*)

Avete detto zio fraterno? E perché offendete, perché chiamate fetente lo zio?
(*Totò e i re di Roma*)

Siete le mie cuginette? Porgo le mie esequie.
(*Totòtarzan*)

Non mi parlate di mio figlio, è un figlio denaturato, il figlio di un cane.
(*47 morto che parla*)

Mio zio è diplomato in archeologia, sociologia e fetenzieria. (*Totò Antologia*)

Lei è affamiliato? Ha trovato una moglie? Sarà racchia, non la conosco, ma lo intuisco.

Non ho intenzione di sposarmi: sono autarchico. (*Totò all'inferno*)

Sono figlio vedovo di madre unica. (*Totò Antologia*)

Ho capito: voi avete un nipote e questo nipote sarebbe vostro zio. (*Totò, Vittorio e la dottoressa*)

Mio fratello è più basso di me, è sottosviluppato. (*Totò Antologia 2*)

Io non ho sorelle, ma anche se le avessi, giovanotto, non ci sarebbe niente da fare. (*Il medico dei pazzi*)

Se sono lo zio diretto? Direttissimo! (*Totò e Marcellino*)

La donna della mia vita è mia zia, ma non vale. (*Fifa e arena*)

Ti ho visto uscire con mia figlia: facevi schifo! (*Totò, Peppino e le fanatiche*)

Il fidanzamento deve durare un anno o anche due, facciamo due anni con la condizionale. (*Totò, Fabrizi e i giovani d'oggi*)

Il marito ha detto di no e la moglie gli ha dato ascolto? Certi uomini nascono con la camicia!

Sua moglie è debole di cuore? Quanto mi dispiace! A lei no? Allora le faccio le mie congratulazioni. (*Che fine ha fatto Totò Baby?*)

La madre di tua moglie è morta? Bene! Non tutti i mali vengono per suocere. (*Totò a Parigi*)

A proposito della Befana, devo fare gli auguri a mia suocera. (*Le motorizzate*)

Vuole il mio numero di matricola? Io non ho numero di matricola... Non ho né matricola né patricola.

Moglie mia, io non so dove sei, ma ovunque tu sia, faccio un brindisi alla facciaccia tua! (*Totò, Peppino e i fuorilegge*)

Non ce l'hai la mamma? Non hai nessuno? Allora vuol dire che sei un singolo: tu sei nato con la camicia! (*Totò sexy*)

Alle elezioni

Quando ci sono i tumulti elettorali è meglio andare al manicomio: tra i pazzi è più tranquillo. (*Il medico dei pazzi*)

Il nome del candidato deve martellare i timpani degli elettori, deve rompere... (*Gli onorevoli*)

Italiani, votate Antonio La Trippa, votate La Trippa! Italiani, mentre voi dormite La Trippa lavora.

Non posso parlare a voce bassa: per il comizio devo sintonizzare la sintonia della mia parola.

Scusate la mia ignoranza a questa specie di politica, ma io so che il deputato deve fare l'interesse di chi lo ha eletto. Cose d'altri tempi!

Patto a tre: I gonzi, gli imbecilli, i burini, i fessacchiotti mi votano e voi due, con i miei voti, andate in Parlamento. Poi noi tre ci facciamo una bella pappata. Ho capito bene?

Gli onorevoli: Questi signori appena saranno eletti poseranno i loro sporchi deretani sugli scanni della Camera, penseranno ai loro sporchi interessi, faranno fessi gli italiani, perché sono papponi!

Il partito socialista ... gran bel partito! Mi hanno detto che i socialisti si aiutano tra loro come fratelli, una specie di frati...
(*Destinazione Piovarolo*)

È possibile che un poveraccio debba rischiare di perdere il posto di lavoro e di morire di fame? E poi dice che uno si butta a sinistra! Mi butto a sinistra, sono volontario. (*Totò e i re di Roma*)

E questa sarebbe la svolta a sinistra? Ma mi faccia il piacere! Svolti a destra e prenda il treno! (*Totò di notte*)

Mio zio ha dodici tessere, ma non ditelo a nessuno altrimenti perde il posto. (*Totò al Giro d'Italia*)

Qui o si fa l'Italia fascista o si muore e quando uno è camerata è camerata sempre.

Avarizia

Io non do niente a nessuno, nemmeno il buongiorno. (*47 morto che parla*)

Dove si paga, io non vado.

Portami mezzo bicchiere d'acqua, ma solo mezzo, ché l'acqua costa.

Era così avaro che quando vedeva un Luigi d'oro lo chiamava Luigino.

Il pranzo dell'avaro: Compro la trippa, non per il gatto, ma perché ho degli invitati. Oggi è sabato e quindi trippa, trippa alla trippa. Ma non vorrei fare una brutta figura, passare per avaro... E va be', a tavola siamo in quattro, comprerò tre bistecche, non troppo tenere perché durino più a lungo e sottili, diafane, in modo che pesino poco. Per cucinarle il cuoco deve lavorare sulla memoria perché in casa mia non ha mai visto bistecche. Vanno condite con dieci gocce di olio e un po' di rosmarino. È usato, ma va bene lo stesso.

È morto il cavallo? Come mi dispiace, povera bestia! Proprio adesso che si è abituato a digiunare... Non si può fare un esperimento!

Che giornata terribile! Ho diseredato mio figlio, l'ho cacciato di casa e adesso mi accorgo che mi hanno fregato un bottone. Che tragedia, con quello che costano i bottoni!

Ho preso l'arsenico per sbaglio, come controveleno mi ci vorrebbe il lattosio, ma è troppo caro. Mi ci vorrebbe un controveleno più economico. Il medico dice che sto per morire? Quello porta sempre buone notizie. Comunque, mi raccomando pochi fiori e pochi ceri. Evitiamo le spese superflue.

...Un attore così avaro che agli ammiratori concedeva mezzo autografo. (*I pompieri di Viggiù*)

La mancia... la mancia non gliela posso dare perché ho dimenticato il libretto degli assegni a casa. Buona Pasqua e buon Ferragosto! (*Siamo uomini o caporali?*)

Vuoi le scarpe nuove? Ma, dico, ti sei impazzito? Ma lo capisci che le scarpe nuove sono fastidiose e, si capisce, sono dolorose. Metti che uno ha un occhio di pernice, una cipollina oncipiente... Viceversa, vuoi mettere la comodità di una scarpa usata che ti accarezza come un guanto l'arto inferiore? E se è sfondata, pensa alla salute! (*Gambe d'oro*)

È nato un bambino? È giusto che faccia anch'io un regalo per il lieto evento. Be', porta i miei saluti al padre e tanti complimenti alla porpora!

Bestie e uomini

Prima le bestie e poi gli uomini! (*Totò a Parigi*)

Gli animali non devono viaggiare in treno? E allora, caro signore, lei perché ci viaggia?

Non vedo che ci trova di strano se il mio pappagallo si chiama Pasqualino. Si faccia i Pasqualini suoi!

Per il troppo lavoro mi sono ridotto come un ronzino, ma il fatto è che siamo uomini, non ronzini. (*Totò, Peppino e le fanatiche*)

Lei dice che tutti i tori sono nudi? Non è mica detto, dipende... Ci sono anche i tori vestiti e anche quelli seduti.
(*Totò, Eva e il pennello proibito*)

Mi gratti la schiena e non si preoccupi... a quest'ora le pulci dormono. (*Il letto a tre piazze*)

L'aspide... Che caspita di morso mi ha dato questo caspide! (*Totò all'inferno*)

Micino caro, parliamoci da persona a persona.
(*Destinazione Piovarolo*)

Gattaccio schifoso, ladro, figlio di un cane!

Io in pasto ai pescecani? Per carità! Quelli stanno senza museruola! (*Totò contro il pirata nero*)

A pesce donato non si guarda in bocca.
(*Totò al Giro d'Italia*)

Con la scusa che al circo si deve fare di tutto, mi fate pulire la pista, lavare la biancheria e pulire i denti degli elefanti con il dentifricio.
(*Il più comico spettacolo del mondo*)

Quei leoni sarebbero tuoi amici? E tu dici che diventeranno anche i miei? Insomma, assaggiatemi e diventeremo amici... E poi, che vuol dire? Tra gli amici ci può essere sempre un fetente!

Mio marito ha visto un topo ed è svenuto e quando è rinvenuto era già morto.

Parli col ciuccio? Eh già, tra voi vi intendete.
(*Totò contro Maciste*)

Il pappagallo mi ha fatto una pernacchia... Brutto uccellaccio schifoso, figlio di una pappagalla! (*Totò e i re di Roma*)

Uno scarafaggione coi baffi... sembrava un signore in abito da sera. (*Totò nella luna*)

Nello spazio ci sono mostri, formiconi, piovre? E tu portati l'ombrello!

Bufere

La luna, il mare, le stelle... Che schifo! Vuoi mettere quei bei diluvi, quelle belle trombe d'aria. (*Fifa e arena*)

Mia cara, noi soli nella fanga, nel paciocco. Ciac, ciac, ciac... Senza galosce? Nemmeno una per uno? Comunque, io già mi sento raffreddato.

Burocrazia

La scena: Un ufficio doganale.
I personaggi: L'ispettore e Totò, imbroglione col fez.

ISPETTORE: Aprite le valige ché devo vedere dentro.

TOTÒ: Non si preoccupi, abbiamo già controllato: c'è tutto.

ISPETTORE: Questo va bene, ma devo controllare, questo è il mio dovere.

TOTÒ: La sua rasenta la maleducazione perché quando un galantuomo col fez le fa notare che non c'è niente di straordinario, gli si dovrebbe credere sulla parola. E allora la parola d'onore non conta niente? Questa è una curiosità, una ficcanasaggine.

ISPETTORE: Mi faccia vedere un documento... Ma questo non è un documento, è un menu!

TOTÒ: Per me il menu è un documento... è una questione di punti di vista. Ah, questa burocrazia! (*Noi duri*)

Devo mettermi in fila allo sportello? Ho la coda dietro? Ma la coda ce l'avrà sua sorella!
(*Totò e i re di Roma*)

Cavalieri, commendatori, avvocati, impiegati e affini

Non sono ancora cavaliere, ma non dispero. Checché... (*Le sei mogli di Barbablù*)

Un usciere lo hanno fatto cavaliere? No, non è possibile. E poi si dice che uno si butta a sinistra! Per forza! Per certi cavalieri ci vorrebbe il gas asfissiante. (*Totò e i re di Roma*)

Sono solo un impiegato, ma tre anni di militare a Cuneo, hanno segnato la mia psiche.

Per studiare e imparare ci vuole gente spensierata: bambini, ricchi, pazzi, non certo un impiegato statale.

Lei non è commendatore, non l'hanno fatta commendatore? Che ingiustizia, fanno commendatore tanta gente, potevano fare pure lei. Comunque per me è commendatore. (*Totò, Peppino e le fanatiche*)

Commendatore, e voi state col buco dell'aria aperto?

Commendatore! Non è commendatore? La faranno commendatore, glielo assicuro io che sono musicista. (*Totò sexy*)

Un pezzo d'uomo come lei non è ancora commendatore? A me certe cose mi fanno piangere... (*Totò contro il pirata nero*)

Non mi chiamate commendatore: io sono dottore e il mio assistente è vice dottore. (*Totò, Vittorio e la dottoressa*)

Lei è il cancelliere? E perché sta scrivendo? Se è cancelliere dovrebbe cancellare. (*Figaro qua, Figaro là*)

Avvocato lei? Mattacchione! Ma mi faccia il piacere! Ma mi faccia il piacere! Ogni limite ha una pazienza! (*Sette ore di guai*)

Pietà, signor commendatore generale! (*Chi si ferma è perduto*)

Mi si può far precedere il mio nome da un Cav.? Cavalier Gennaro La Pezza, non mi offendo. (*Il latitante*)

Non sono né cavaliere, né commendatore, né piccolo ufficiale. (*Totò, Eva e il pennello proibito*)

Cavaliere, nessuno vuole farla fesso... non c'è bisogno. (*Totò contro i quattro*)

Chi dice donna...

Landru è il mio santo protettore, quello sì che era un uomo! Avrà messo al forno almeno una trentina di donne: maschiaccio! (*Totò e le donne*)

Il simbolo delle donne è Lucrezia Borgia, anche di mia moglie che però non è ancora riuscita ad avvelenarmi.

Io non ce l'ho con le donne, ma se avete un minuto di tempo vi dico che sono inopportune, prepotenti, incoscienti, maligne, invidiose, esose. Sì, dico esose, che vi amareggiano quei quattro giorni che vi restano da campare.

Per ogni quattro donne c'è un solo uomo. Avete capito? Quattro contro uno.

Quell'uomo che ammazzava le donne con la scure... un poveretto. Se lo condannassero sarebbe un'ingiustizia.

Con le donne di casa sto tranquillo, il conto della sarta l'ho pagato, il tavolo da gioco l'ho comprato, ho comprato la pelliccetta a mia figlia: sto in una botte di ferro.

L'uomo è ossessionato dalle donne, fin dalla nascita. Nonostante abbia scritto sul bavaglino: «Non mi baciate» deve sopportare i baci e il ganascino dalle signore di passaggio. Poi viene tiranneggiato dalla governante o è costretto ad ascoltare le chiacchiere delle zie. Fino a che, per ingannare la noia, scopre che le dita si possono anche mettere nel naso.

Da adulto l'uomo è sempre ossessionato dalle donne, dalle spacciatrici di biglietti di beneficenza, dalle centraliniste che invece di rispondere al telefono leggono romanzi d'amore o a fumetti, da quelle che quando vanno al lavoro, in tram, accavallano le gambe fino a là, si, fino a là... e poi se un uomo le guarda si offendono pure!

Le donne sono fatte così, se non complicano la vita, non sono contente.

Lei comprometterebbe una donna? Con i suoi tratti somatici? Ma mi faccia il piacere!

È incredibile come un bipede di genere femminile possa ridurre un uomo.

Uomini di genere maschile, contro il logorio della donna moderna ritiratevi nella quiete di una soffitta. Soffittizzatevi.

Tra noi uomini, per difenderci dalle donne, omertà!

Noi uomini lottiamo, lottiamo, ma alla fine vincono sempre le donne.

Aveva la mamma paralitica, un figlio da mantenere, una zia rimbambita e le avevano pure dato lo sfratto: era una donnina allegra.

Le donne costano ed io sono un uomo di mondo. (*Fifa e arena*)

Sei una brava ragazza, capace di tutto. (*Noi duri*)

Ciak, si ruba

Io vorrei sapere perché tante persone, con tutti i mestieri che ci stanno, si mettono a fare i ladri. (*Totò Antologia*)

È un ladro, lo so, lo riconosco dalla sagoma.

Gli avvocati difendono i ladri. Sa com'è... tra colleghi.

Vita da ladro: Una vita movimentatissima, ogni giorno un ambiente nuovo, oggi un ristorante, domani un tabaccaio, un bar, qualche cerimonia nuziale... Sapeste quanto deve lavorare questa testa mia per sbarcare il lunario!
(*Totò e Marcellino*)

Due ladri in luna di miele: volevano la cella a due piazze.

Papà ladro al figlioletto: Quale tema devi portare domani a scuola? «Settimo non rubare»? Che razza di titolo!

È un ladro così abile che ha derubato una comitiva di turisti mentre ammiravano il Vesuvio che fumava. Lo aveva fatto fumare lui, a legna.
(*Operazione San Gennaro*)

Ma ti pare che io, con questa faccia, possa aver rubato dieci milioni? No, eh... Vuol dire che c'ho proprio la faccia da cretino. (*I tre ladri*)

Il garante: È un affare? No, è un furto, garantisco io.

Furti germanici: Volevi rubare il portafoglio a quei due fraulein? Bell'affare! Ci avresti trovato dentro tutt'al più pochi spiccioli di marchi, o un panino con fusterl... le salsicce tedesche. Bell'affare facevi! Quelli viaggiano con l'autostop, dormono nei campi, sono micragnosi. È vero che il rischio è il nostro mestiere, ma rischiare per una salsiccia tedesca sarebbe da imbecille. Tu sei imbecille lo so, ma ciò non toglie... (*Che fine ha fatto Totò Baby?*)

Uno come te, che ha avuto la fortuna di nascere in una famiglia onesta, una madre battona, un padre pappone e ladro, un fratello che segue le orme del genitore, non sa fare il ladro... Vergogna!

Io al mattino esco di casa per andare a lavorare, a guadagnarmi la pagnotta, mi introduco in mezzo alla folla, mi devo fare largo a furia di gomitate e spintoni e così mi ritrovo con mezzo braccio nella tasca di qualcuno. Tiro fuori il braccio, svelto, e mi ritrovo con un borsellino in mano. Non so di chi è, sa la folla è tanta, che cosa devo fare, disgraziato, me lo tengo. Queste disgrazie mi capitano un paio di volte al giorno. Maledetto destino! Io non sono un ladro, sono un perseguitato politico.
(*Totò contro il pirata nero*)

Cimiteri e dintorni

A cimitero donato non si guarda in tomba. (*Totò cerca casa*)

Il guardiano del cimitero era un bravo musicista. Sapeste come suonava bene la marcia funebre!

La salma verrà trasferita domani mattina? Non si preoccupi, la sveglio io.

Era impiegato al cimitero, faceva casa e bottega: ammazzava la gente e la seppelliva sul posto. (*Totò contro i quattro*)

A me i funerali mi danno una grande emozione. Mi cadono i lacrimoni come se fosse successo chissà che cosa. (*Totò Diabolicus*)

Devo andare al funerale di un morto. (*Che fine ha fatto Totò Baby?*)

Una tomba grande, ma molto grande, un tombone. Vuoi vedere il progetto? È un progettone! (*Signori si nasce*)

Mi faccio cremare, divento un bel vasetto di crema e non se ne parla più.

Cineserie

Marco Polo arrivò in Cina, alla corte del Gran Kan, senza una lira e tornò con un milione. Fece colpo perché aveva due barbe e un baffo solo. (*Totò di notte*)

La Cina è piena di cinofili.

In Cina in certi ristoranti danno da mangiare i cani, noi italiani non li mangiamo perché non siamo cannibali.

Con approvazione ecclesiastica

Novena a San Gennaro.
Il tesoro di San Gennaro vale trenta miliardi. A' faccia do' saciccio! Trattate bene San Gennaro, se San Gennaro si offende non fa più miracoli e noi a Napoli viviamo di miracoli.
(*Operazione San Gennaro*)

Per avere una grazia da San Gennaro bisogna parlargli da uomo a uomo.

San Gennaro mio, fa che io abbia fortuna in Germania. Ho attraversato l'Alto Adige!
(*Totò e Peppino divisi a Berlino*)

San Ienaroff, aiutami, voglio andare in Siberia.

San Gènnari nubile e martire, aiutami tu!
(*Che fine ha fatto Totò Baby?*)

Un prete vuole sposare una ragazza? E che c'è di male? Mica la può sposare un maresciallo dei carabinieri! (*I due marescialli*)

Il conclave: Se il nuovo Papa ha 92 anni, ai cardinali conviene non muoversi da Roma.
(*Totò Diabolicus*)

Dio moltiplichi i fornelli a chi mi dà un piatto di fettuccine! Sono debole come una puerpera.
(*Yvonne La Nuit*)

Sant'Agostino mio, illuminami... Che ti costa una illuminata? (*I Tartassati*)

Vai da Sant'Agostino e gli dici tre gloria patri e tre pater nostri a nome mio. Glielo dici: «Questi te li manda il ragionier Pezzella».

Mi lasci lodare il cielo, la loditudine è umana. (*Sette ore di guai*)

Io sono un monaco vedovo, è un Ordine nuovo, sì, i vedovi scalzi. Io porto le scarpe, ma non ci faccia caso, sono in trasferta.
(*Il monaco di Monza*)

Io sono un monaco di mondo.

Corna e Arena

Signora, io per amore sono disposto a farmi fare a pezzi da suo marito. Tanto pezzo in più, pezzo in meno... (*I pompieri di Viggiù*)

Signora, tra il dire e il fare c'è di mezzo suo marito.

Sua moglie ha tre figli? E mi dica, mi dica, sono i suoi? (*Totò Antologia*)

Una donna con due mariti è una biga. (*Il letto a tre piazze*)

Il marito che tradisce la moglie è un adulto, un fotografo, un feticrafo, un fricorifico.

Mia moglie è la madre dei racchi, ma Cornelio sono io, il marito. (*Che fine ha fatto Totò Baby?*)

Colonnello, credo che io e lei facciamo una bella coppia di cornuti, parola di nemico!
(*I due colonnelli*)

Colonnello, lei antepone la guerra alle corna?

La sua fidanzata l'ha tradito con un vescovo? Misericordia!

Il torero: Tutta una vita guidata dalle corna...
(*Fifa e arena*)

Cose da pazzi

Il medico dei pazzi in cucina: basta che lo chieda e subito gli portano un matterello, o anche due. (*Totò, Peppino e le fanatiche*)

Non so se ho un pizzico di follia, l'unico pizzico che mi interessa è quello che posso dare a Marietta, la cameriera.

Un po' di manicomio non fa male a nessuno.

Io un soggetto schizofrenico? Ma no, io sono democratico napoletano. (*Totò Diabolicus*)

Vuole uscire pazzo? Si accomodi! (*Noi duri*)

Che cos'è un trauma psichico? Il tram delle pasticche? Sì... il piroscafo delle caramelle. (*Totò all'inferno*)

È un pazzo! Mettetegli la camicia di forza, i calzoni di forza, le mutande di forza, tutte le cose di forza.

Cretini, antipatici, imbecilli e compagnia bella

Sei un cretino recidivo, senza attenuanti.
(*Totò, Eva e il pennello proibito*)

Bella prova la testimonianza di un cretino!
(*I due marescialli*)

Lei mi è stato antipatico dal primo momento: è stato un colpo di fulmine.
(*Lo smemorato di Collegno*)

Era un uomo così antipatico che dopo la sua morte i parenti chiedevano il bis.
(*47 morto che parla*)

Era tanto antipatico che sembrava un cane idrofilo. (*Totò Antologia*)

Tu ti sei messa in testa che quello mi stia antipatico, ma credimi, stai tranquilla, mi è tanto odioso. Lascia fare a me! (*Sette ore di guai*)

Sta' zitto, inalfabeta! (*Noi duri*)

Lei è un ridicolo, s'informi!
(*Totò, Peppino e le fanatiche*)

Perché pezzo d'imbecille? Mi manca qualche pezzo forse? (*Due cuori tra le belve*)

Come vi permettete di chiamarmi retrogrado medio ovale? (*Totò nella luna*)

Eri scemo, mò stai diventando pazzo e rimbambito!

Io non faccio lo gnorri... Sono gnorri davvero. (*Figaro qua, Figaro là*)

Tu sei figlio di una sigla: F.D.M. Informati. (*Che fine ha fatto Totò Baby?*)

Lo scusi, sa, è un inconscio. (*Totò sexy*)

Ignorante, non sai nemmeno dove ti trovi. Agnostico!

Sono due volte carogna, sono una bicarogna. (*Totòtarzan*)

Io non sono un pussilanime... Puzza all'anima sarà lei! (*Totò contro Maciste*)

Il borioso: Lei si dà tante arie perché c'ha la barba, ma me la posso fare crescere anch'io. O no? (*Totò a Parigi*)

Il lagnoso: Quante storie che fa lei per un po' d'acqua e allora che cosa dovrebbero dire i palombari?

Il necrofilo: Lei parla sempre di cripta, è un criptomane! (*Il monaco di Monza*)

Cultura enciclopedica

Mi arrangio, sono anciclopedico.
(*Sette ore di guai*)

Ho frequentato le scuole serali di orientamento, non ho bisogno della bussola.
(*Due cuori tra le belve*)

Se voglio? Fortissimamente voglio: Manzoni.
(*Una di quelle*)

Bernini era uno scultore svizzero. Veniva da Berna e siccome era piccolo, lo chiamarono Bernini. (*Totòtruffa 62*)

Il Castel dell'Uovo, a Napoli, nel 415 o 445, la data non è certa, fu acquistato da Cristoforo Colombo che fece ivi, de visu, la sua scoperta: l'uovo di Colombo. Da cui meglio un uovo oggi che una gallina domani. (*Totò Antologia*)

Garibaldi ha scritto *La Traviata.* È una diceria che l'abbia scritta Giuseppe Verdi, in realtà plagiò. Ci fu pure una causa lunghissima.
(*Il grande maestro*)

Mi potrebbe indicare una locanda, o meglio un otello?... Senza acca davanti, io parlo italiano.

Stoccolma si dice in romanesco, come sto' cane, sta' casa. Io parlo italiano e dico Questoccolma.
(*Premio Nobel*)

L'accento lo metto dove dico io, anche sul comodino se mi salta lo sghiribizzo!
(*Totò nella luna*)

Eccellenza si scrive con due zeta.
(*Totò e i re di Roma*)

Vecchio detto del Siam: diamo a Cesare le sorelle siamesi. Non è così? Mah... ormai l'ho detto. (*Noi duri*)

La pila è quell'ingrediente che si mette sul fuoco per far bollire gli spaghetti. La pila elettrica è un'altra cosa, fu inventata da Alessandro Manzoni. (*Totò e i re di Roma*)

Mecenate è colui che ama il canto dei poeti e li ripaga con un piatto di fettuccine e una frittata di due uova. (*Yvonne La Nuit*)

La spada di Temistocle, di Aristide, di Sarcofaghe, di Sofocle... Ah, si dice di Damocle? E va be', sempre parenti sono. (*Fifa e arena*)

Aristofane? Che caro ragazzo! Peccato che beva troppo, è sempre un po' alticcio. Che dite? Aristofane non è più? Allora è meno.
(*Il ratto delle Sabine*)

Eschilo, Euripide sono troppo lontani da noi. Però con tutti i mezzi di comunicazione che ci stanno...

Siamo nel Settecento avanti Cristo? Perbacco! In pieno Rinascimento.

Questo era il castello dei Medici? Allora era un ospedale. (*Le sei mogli di Barbablù*)

Garibaldi: un amico mio che abitava a Caprera. (*Totò contro i quattro*)

Paolina Bonaparte... un pezzo storico. (*Tempi nostri*)

Queste carte geografiche sono tutte sbagliate. Per esempio, vedete, qui dove c'è il mare ci sono scritte queste parole: Oceano Indiano. Eppure, voi non ci crederete, sono dieci giorni che guardo il mare e queste parole non ci stanno. (*Due cuori tra le belve*)

Il fiume più lungo del mondo è il Mississippi. (*Totò e Marcellino*)

Antiquariato.
È una poltrona antica, sarà Pasquale, fratello di Luigi. (*Totò e Marcellino*)

Uno che se ne intende mi ha detto che questo mobile è un trumò olandese, ma io l'ho comprato a Campo dei Fiori... Vattelappesca! (*Siamo uomini o caporali?*)

Editoria.
Gli editori Sozzogno e Tiscordi sono di Milano. Non li conosci? Mi sembra strano. (*Totò a colori*)

È Tiscordi lei? A vederla si direbbe Sozzogno.

Treccani? Non esageriamo, meglio un cane solo, bello grosso. (*Totò nella luna*)

Rivelazioni storiche: Un busto d'oro del duce? Davvero? Non avrei mai pensato che portasse il busto... perciò stava bello dritto. Non portava il busto? Allora portava il reggipetto, la pancera... (*Totò Diabolicus*)

Cuore

Degli orfanelli nessuno se ne interessa proprio perché sono orfanelli.
(*Totò, Peppino e le fanatiche*)

L'ispettore della tributaria si è suicidato? Mah... Non bisogna essere troppo ottimisti. (*I tartassati*)

Io penso, e la cosa mi fa ridere immensamente, che il vecchietto sia in coma. (*Il latitante*)

Ho chiuso il gatto nella gabbia per castigarlo: si era mangiato il canarino e adesso non esce finché non ha imparato a fischiare.
(*Totò e Marcellino*)

A me la rumba mi commuove. (*Totò e le donne*)

Delinquenti delicati

Lei è un brigante e io sono un brigantino. (*Figaro qua, Figaro là*)

Rapiamo una donna? E me lo potevate dire che portavo un rasoio!

Trafficava in eroina, era un droghiere. (*Noi duri*)

L'ammazzatore di mezzanotte... Sarebbe un marito ideale! (*Fifa e arena*)

Hai ucciso tua moglie e tua suocera? Sei un galantuomo! (*Totò e le donne*)

No, non è un ricattatore, è un semplice sporcaccione. (*Totò contro i quattro*)

Se un prete, quando la serratura si blocca, chiama un ladro per aprire la cassetta delle elemosine, quando deve tirare il collo a una gallina che fa? Chiama il mostro della Via Salaria?

Farmi fuori? No, quello mi fa dentro... una bella cassa da morto. (*Le sei mogli di Barbablù*)

Ti ammazzo anche se sei un amico. D'altra parte se certi piaceri non te li fa un amico, chi te li fa? E poi il pugnale non è neanche avvelenato. Sei fortunato, sei nato con la camicia!

Fantomas è un grande nome. Io sono un piccolo bandito, un banditino da strapazzo, un banditore. (*Totò all'inferno*)

O la borsa o la vita... Si dice sempre così.

Ha tentato di strozzarmi, ho ancora le ésquimesi sul collo. (*Il letto a tre piazze*)

Il sicario: Da questo momento, mercé la mia opera intelligente, attiva e fattiva, lei può considerarsi vedovo di moglie. Servizio preciso e sollecito. Colgo l'occasione per farle le mie fecilitazioni! (*Che fine ha fatto Totò Baby?*)

Quello mi ammazza! Figurati è di Montelepre, è un montelepriero. (*Totò a colori*)

Che brutto mestiere questa polizia! Non puoi ammazzare qualcuno che subito si mette a indagare. (*Il più comico spettacolo del mondo*)

La polizia ha perquisito la casa e ha trovato tutto. Ma proprio tutto tutto? Anche quelle bretelle che avevo perduto a Natale? Ah no? Ha trovato solo le ossa in giardino. Volevo ben dire!

Figlio mio, bada a dove metti le ossa quando ammazzi qualcuno!

Diavolerie

Diavolo, dove diavolo si è cacciato il diavolo? (*Totò al Giro d'Italia*)

Lei sarebbe il diavolo? Mi faccia vedere la tessera... Sì, è in regola, c'è il timbro del Ministero degli Inferni. Lei si chiama Pippo Cosmedin? Ma questo non è un nome da diavolo!

Diavolo, lei vuole l'anima? All'anima! L'anima è anima, sa?

Il patto col diavolo non lo posso firmare col sangue perché sono anemico.

Mamma, senti puzza di zolfo? No, il diavolo non c'entra, sono io che sto fumando una Nazionale.

Gaffe all'inferno.
Totò faccia a faccia con Satana: Porco diavolo! Pardon... non volevo offendere! (*Totò all'inferno*)

Dimenticanze reali e surreali

Io non sono malato, sono solo smemorato di mente, sono un enigma.
(*Lo smemorato di Collegno*)

Per scavare nella memoria ci vorrebbe una pala. Io, a forza di frugare, sono rimasto fregato.

Ho perduto la memoria: nella mia testa avvengono certe lacune che la lacuna di Venezia diventa una inezia lacunare. (*Totò sexy*)

Ho dimenticato qualche cosa, per forza, viaggio per dimenticare, ma se non avessi dimenticato, direste: «Tu non hai dimenticato» e io dimenticherei. Viceversa io non voglio dimenticare e sto dimenticando quello che avevo dimenticato. (*Due cuori tra le belve*)

Discorsi ippici

Una parola che incomincia con acca? Accavallo. (*Totò e i re di Roma*)

Il cavallo è scappato nella stalla dei vicini? Lascialo sfogare per un paio di giorni, povera bestia. Riportalo a casa dopo che ha mangiato. (*47 morto che parla*)

È la coda destra, o la coda sinistra? Ah, già... i cavalli hanno una coda sola. (*Totò, Peppino e le fanatiche*)

Carabinieri a cavallo... Perciò io prima avevo detto cavalcavia, se no che lo dicevo a fare? (*Totò sexy*)

La signorina ha galoppato... a Bagnacavallo coi cavalli dello zio. Ma che siamo nati ieri? Be', diciamo equitazione... (*Totò nella luna*)

Domande indiscrete

Signorina farebbe qualsiasi cosa? Ma mi dica un po', proprio qualsiasi, siasi, siasi? (*Tempi nostri*)

Avete l'intimo di sfratto e, ditemi, l'intimo vi rode? (*La banda degli onesti*)

Che cosa me ne faccio di te? Un giardiniere... e per giunta coi baffi. (*I due orfanelli*)

Andate in gita... Allora siete dei gitani? (*Due cuori tra le belve*)

Perché mi cozzi? (*Che fine ha fatto Totò Baby?*)

Ma che c'hai in testa? Besciamella?

La sua vita si svolge tra casa e chiesa... E va be', ma nel tragitto che cosa succede? (*Totò contro i quattro*)

Se si depilano le donne, perché non ci possiamo depilare noi uomini?

Hai un'idea? Tu? È mai possibile? (*Che fine ha fatto Totò Baby?*)

La prassi chi è? Sua moglie? (*Totò sexy*)

Lei è il maggiordomo? E quando la hanno ammagiordomato?

Lei è desolato? E dove si trova questo paese?

È un caso di forza maggiore o di forza minore? (*Destinazione Piovarolo*)

Lei è una donna? Mah, sarà... Ed è signorina? Lo credo bene!

Sai quante cose si possono fare col dito pomice? (*Lo smemorato di Collegno*)

Che udito che c'hai! Toglimi una curiosità, da piccolo hai avuto gli orecchioni? (*Le sei mogli di Barbablù*)

Si è mai visto allo specchio? E non si è mai sputato in faccia? (*Totò contro il pirata nero*)

La mia ultima ora è scoccata? E che ore sono?

Chi mi ha sistemato un colpo contundente in testa? (*Totò al Giro d'Italia*)

Se ho del tatto? Eh no, sono uscito così come mi trovavo. (*Il più comico spettacolo del mondo*)

Lei c'ha il piede di porco? E che numero porta? (*Chi si ferma è perduto*)

C'ha un po' di ghiaccio in tasca?

Lei è senatore? Ah sì? E dove suona? (*Il latitante*)

Hai un dubbio? E cos'è questo tubo? Parla italiano! (*Totò e Peppino divisi a Berlino*)

Hai mai vinto al lotto? No? E allora che speranze hai per il futuro? (*Totò e i re di Roma*)

Se il gallo non porta l'orologio, come fa a sapere quando è ora di fare chicchirichì? (*Totò sexy*)

Se c'è sotto il mio zampino? Ma vi pare che io andavo a mettere lo zampino sotto!
(*Chi si ferma è perduto*)

Vuole dimostrarmi la sua riconoscenza? Allora passo io alla cassa, o la cassa passa da me?
(*Totò nella luna*)

Ma ti pare che io facevo un pernacchio a te? Uno solo?

Donne e colori

La scena: Un negozio di tessuti.
I protagonisti: Il commesso Totò e la cliente incontentabile.

LA CLIENTE: Vorrei un rosso, ma che non fosse proprio rosso.

TOTÒ: Non vuole un rosso rosso? Allora vuole un rosso verde? No? Allora vuole un punto di rosso cardinale, rosso vescovo, rosso Papa?

LA CLIENTE: Vorrei un rosso viola, lo avete?

TOTÒ: E come non lo abbiamo, vede qui, abbiamo tutta la gamma dei viola: viola, violoncello, primo violino, contrabbasso, a' violetta e' mammeta...

LA CLIENTE: Non ci siamo, volevo quel colore... quel colore del cielo al tramonto.

TOTÒ: Rosso Pincio? Rosso Trinità dei Monti? Quel tramonto che si vede in Via Capo Le Case, tra il lusco e il brusco?

LA CLIENTE: Sì, sì, lo avete?

TOTÒ: No, però se vuole un colore caldo potrei darle il color termosifone.

LA CLIENTE: No, no... avrebbe qualcosa di operato?

TOTÒ: Ho un cugino che ieri si è operato di appendicite, non so se può andar bene...
(*Totò e le donne*)

Se la signora al volante al semaforo rosso si mette il rossetto, al semaforo verde che fa? Si mette il verdetto? (*Le motorizzate*)

Douce France

Liberté, égalité, fraternité: piglia la roba tua e dalla a me. (*Gli amanti latini*)

Voi dite che stiamo precipitando dan la mer? Ma no, ma no... Sotto di noi c'è il mare. (*47 morto che parla*)

A Parigi gli spaghetti li mettono nelle bottiglie? E che c'è di strano? Noi non mettiamo i fagioli in scatola? (*Totò di notte*)

Se ho un impegno con una famm? Be'... grosso modo. (*Risate di gioia*)

Attensiòn, tra un momàn una sorprì! (*Totò, Peppino e le fanatiche*)

Se suàr nus avon le dessér, due slappe di Sant'Onoré. Parblé! (*Yvonne La Nuit*)

Al night club: Garsòn, s'il vù plesse, una coppa di champagne pur muà e un bicchiere d'acqua ristretto per il mio amico. Combién? Quanto pagò? (*Totò sexy*)

Mademuaselle, vulevù danser, pardon, ballér?

La signorina si chiama Patasciù? Ah, avevo capito pastasciutta!

Vù ne comprené pà? Non comprate pane? E chi se ne frega!

Je suì, je suì... Gesù, Gesù...

Omelette alla fiamma? E dove sta adesso Romoletto? (*Totò, Peppino e la dolce vita*)

Cù de fudre: un colpo di fodero.
(*Totò contro il pirata nero*)

San Jan a Tedù? San Giovanni a Teduccio... Ci stanno certi pomodori grossi così!

Lei non capisciare l'italiano? È francesa? Pà de cuà, in bocca al lùp! (*Le motorizzate*)

Al telefono: Vù vulevù parlé avec votre marì? Ve lo passé subìt. (*Chi si ferma è perduto*)

Ecologia

La campagna: tranquillità, profumo, aroma e anche il canto del grillo: chiù, chiù, chiù... Lei non sente fare chiù chiù? Meglio, è una scocciatura in meno, perché, in fondo quello chiù chiù nell'orecchio, scoccia.
(*Totò, Peppino e le fanatiche*)

Elettrodomestici e domestici

La mia cameriera è un pezzo di super maggiorata fisica, come si può pensare di sostituirla con un aspirapolvere? (*Totò, Peppino e le fanatiche*)

La nostra è l'era degli elettrodomestici e allora, dico io, viva la faccia del fornello a carbone, viva la faccia della scopa di saggina e della tinozza per fare il bucato!

Ho una cameriera che non capisce mai i nomi di chi telefona a casa. Io un giorno o l'altro commetto un infanteschicidio.

La cameriera è guasta: ho suonato il campanello ma non viene. (*Totòtarzan*)

Esecuzioni

Se dovete fucilarmi, fucilatemi, ma almeno salvatemi la vita. (*Figaro qua, Figaro là*)

L'ultimo desiderio del condannato a morte: voglio comandare il plotone d'esecuzione. Mirate bene, risparmiatemi la faccia, le gambe, le braccia, il petto e le frattaglie.

Non morirò imbottito di piombo, il medico mi ha ordinato il ferro.

Dobbiamo essere rifocillati? E perché? Ci avete già fucilato una volta? (*Totò, Eva e il pennello proibito*)

Il pappagallo fu fucilato dai partigiani nell'inverno del '44, perché sorpreso mentre cantava a squarciagola *Giovinezza*. Quel pappagallo era fascista! (*Totò e i re di Roma*)

Trovate il colpevole e che sia giustiziato, vivo o morto! (*Totò contro Maciste*)

Fucilatemi! Sono colonnello, ma colonnello in più colonnello in meno... A Roma ce ne stanno tanti! (*I due colonnelli*)

Quando ti tagliano la testa con che ridi tu? Io sono il padrone di questa testa, Dio me l'ha data e guai a chi me la tocca! (*Totò contro il pirata nero*)

L'impiccato: Boia, tirami giù che quassù fa freddo!

Esterofilia

Water e closet non sono due signori inglesi... è quel coso dove ci si chiude dentro e si dice: «Occupato!». (*Lo smemorato di Collegno*)

Per andare alla Rai mi metto un turbante in testa. Può essere che se mi prendono per un indiano, mi danno un lavoro. (*Totò Antologia*)

Bitte in tedesco vuol dire: «Lo vuoi un bitter?». (*Totò, Peppino e le fanatiche*)

Se mi piacciono le tedesche? Perbacco! Io la mattina mangio pane e tedesche.

Permessing in inglese significa permesso. (*Totò di notte*)

Sedeteris in russo vuol dire sedetevi. (*Totò e Peppino divisi a Berlino*)

Mi ascolti, si arruoli nella legione straniera: è piena di napoletani. (*Totò e le donne*)

Che indecenza! In Italia si fa festa solo alle glorie di importazione e i geni locali vengono trascurati. Che schifo! (*Totò a colori*)

Ho cercato il successo all'estero, come Marco Polo. (*Totò sexy*)

Al parcheggio: Yes, ai andstend, capito: la macchìna non stare nostra. Off limits! (*Risate di gioia*)

In portoghese il tempo è danaro: de taimes is scudos. (*47 morto che parla*)

Io parlo inglese e tu non capisci... Allora sei cafona, non inglese. (*I pompieri di Viggiù*)

Mi sarebbe piaciuto entrare a Parigi con sei vetture... in pompa magna. Invece così è una pompetta. (*Totò a Parigi*)

Trinc in inglese significa voler buàr. (*Totò, Peppino e la dolce vita*)

Si balla al natic clùb.

Traduzione simultanea: Caman, lets go mister Blak: la comare di mister Blak c'ha la coda. (*Siamo uomini o caporali?*)

Mini-dialogo tra un americano e un napoletano.

AMERICANO: Sedam, please.

TOTÒ: Non ho capito.

AMERICANO: Ho detto: «Assettate!».

TOTÒ: E parla americano, figlio mio!

Filastrocche, scioglilingua e giochi di parole

Chi c'è dentro quel palazzo?
Un povero cane pazzo.
Che cosa vogliamo fare?
Diamo un pezzo di pane
a quel povero pazzo cane. (*Figaro qua, Figaro là*)

Osteria dei Quattro Tori... paraponziponzipò
Mò incominciano i dolori... paraponziponzipò.

Qui c'è una porta aperta, dove porta?, Chissà dove porta, che importa dove porta la porta da qualche parte porta. La porta è aperta... Si parte?!

Le spose scambiate.
La storia è bilunga. Io credevo che fosse Domenica e invece era Carmela. Eh già, quando venne Pecorino e mi disse: «Sposerai domenica», io credevo di sposare Domenica e infatti sposai domenica. Ah, che brutta domenica! E invece Domenica era una bella Domenica!
(*Le sei mogli di Barbablù*)

Stretta è la foglia, larga è la via, dite la vostra che ho detto la mia. La dico? No, non la voglio dire!
(*Totò all'inferno*)

Origliamo. Origlia prima tu che io ho già origliato. Hai origliato? E che hai origliato? Adesso rioriglio io.

Qui si trama, stanno tramando... È una tramata! Ah, tramaturchi! (*Totò nella luna*)

Se questo passo io non lo passo adesso non faccio più un passo. (*Destinazione Piovarolo*)

Cerca l'oste, o la moglie dell'oste? È lo stesso, anzi... l'ostessa. (*Figaro qua, Figaro là*)

Come è estroso l'estro che viene e va.

Ognuno fa la gamba secondo il suo passo. (*Totò e Marcellino*)

Abbiamo preso due fave con un piccione. (*Totò contro i quattro*)

La casa del coso? Signora, lei parla a caso! (*Sette ore di guai*)

Signora, la ringrazio tanto e cotanto!

Io insisto e persisto nella mia insistenza. (*Totò all'inferno*)

Fotografi e fotografie

Paparazzo non è una parolaccia, significa fotografo ambulante. Quelli più piccoli sono i paparazzini. (*Totò di notte*)

Lei col suo flash ci sta bersagliando da tempo: lei è un bersagliere!

Mi hanno fotografato a mia insaputa, in contumacia. (*Totò Diabolicus*)

Mi faccio fotografare di faccia, di prospetto e di schifo. Di schifo significa di tre quarti. (*Lo smemorato di Collegno*)

Mio nonno mi raccomandava di non fare testamento e di non farmi fotografare. È di malaugurio. A me le fotografie portano jella. (*Totò e Marcellino*)

Oddio! Sui giornali c'è la fotografia del mio ritratto. (*Totò e Peppino divisi a Berlino*)

Flash sarebbe quella fotografia al lampo del citrato di magnesia. (*Totò, Peppino e la dolce vita*)

Foto fatta a capo ha.

Galanterie

Il mio rivale sta facendo una serenata? Vuol dire che avrà già mangiato. (*Fifa e arena*)

Il torero dedica il toro alla donna amata, io al massimo posso dedicare un'aragosta.

Signorina, suo padre rubava le sigarette al Monopolio dello Stato per farle gli occhi color tabacco. Lei è bona, se lo lasci dire da un uomo di mondo.

Sei del Polesine? Vieni qua, alluvionata mia! (*Totò, Peppino e le fanatiche*)

Sei una bella donna, sei una ninfa, sei ninfatica! (*Totò di notte*)

Cara, accanto a te mi sento bollire, se mi metti un uovo in mano lo faccio alla cocca. (*Il letto a tre piazze*)

Don Giovanni speleologo: Amore mio, io ti amo nella grotta, a Piedigrotta, a Fuorigrotta. Dovunque!

Don Giovanni in Germania: Come posso lasciar perdere due pezzi di naziste di quella mole? (*Che fine ha fatto Totò Baby?*)

Signora, sono vostro, sono volontario. (*Le sei mogli di Barbablù*)

Cara, voi siete la mia arma segreta... la bomba anatomica!

È un peccato perdere una buona occasione. Avete visto che pezzo d'occasione è la signora?

Siamo attesi? Io credevo che fossimo a Napoli. Comunque devo andare dalla signora. Sa come si dice? Prima le donne, i bambini... e i caporali pagano metà prezzo.

Questi anni lontano da te mi sono sembrati un secolo... anzi un bisecolo. (*Totò all'inferno*)

Abbiamo cozzato, signora, scusi il cozzo!

Come dice quel vecchio proverbio greco antico, tirano più due occhi belli che cento pariglie di buoi. (*Totò al Giro d'Italia*)

Mia cara, sono contento di essere arrivato primo.

Figlia mia, se tutte le scope fossero come te, sai che mi metterei a fare? Lo scoparo.
(*Il più comico spettacolo del mondo*)

Con un pezzo di ottomana come lei, io il turco lo faccio.

Galateo

Cameriere, ci dia un menu, non posso mica ordinare a orecchio. (*Totò di notte*)

Non mettere il dito nel brodo, il brodo si succhia. Ti ho visto sai? Ho l'occhio policlinico, nulla mi sfugge.

Il dono si accetta... specialmente se è cospicuo. (*Yvonne La Nuit*)

Una persona bene educata non sputa e non bestemmia. Hai capito? Porca miseria ladra! (*Che fine ha fatto Totò Baby?*)

Per salire in bicicletta devo alzare la gamba? Ma non sta bene... non sono mica un cane! (*Totò al Giro d'Italia*)

La nostra è una casa ospitale, se lei rifiuta la nostra ospitalità offende tutti gli ospitalieri d'Italia. (*Chi si ferma è perduto*)

Non posso aprire la porta... sono in maniche di mutande. (*Totò e i re di Roma*)

Non sputare sul pavimento... Allora ti posso sputare in faccia, che sei un pavimento tu? (*Totòtarzan*)

Non bisogna soffiarsi il naso con le mani: anche questa è vecchia!

Presentazione: L'onore è tutto mio... l'onore è tutto vostro... Be', facciamo un pezzo per uno.
(*Il ratto delle Sabine*)

Ragioniere, lei può parlare anche con la bocca piena, per me è lo stesso. Come si dice in francese: pur muà sè la memme sciosa.
(*Il più comico spettacolo del mondo*)

Come vi permettete di guardare due donne in desabigliardo?

Gastronomia

Scegliere i bocconi migliori del pollo è una prerogativa maschile, mia moglie sono vent'anni che non mangia una coscia di pollo.
(*Totò e le donne*)

Erano persone che non sapevano fare niente tranne che mangiare. Mangiavano da professionisti. (*Totò, Peppino e le fanatiche*)

I fagioli mi guardano perché sono fagioli con l'occhio.

L'oca arrosto l'uovo lo fa sodo.
(*Figaro qua, Figaro là*)

Mai che a un rinfresco dessero un piatto di spaghetti caldi! (*Totò e Marcellino*)

Vorrei qualcosa da mangiare, qualcosa di leggero... qualche panino, qualche acciuga, un po' di burro, carne, pesce, contorno e antipasto. Antipasto, sì, io per antipasto prendo pasta e fagioli. (*Fifa e arena*)

Sto cucinando pesce subacqueo fluviale, animale acquatico fiumano di acqua dolce. (*Totò a Parigi*)

Il pollo si mangia con lo champagne. (*Totò sexy*)

La pasta e fagioli... io sono un signore, non posso mangiare queste cose, devo mangiare la maionese.

A tavola: Per me un piatto di agnolotti con un pizzico di pepacchio. Per il mio amico birra: lui la beve e io campo cent'anni. (*Totò sexy*)

In Germania: Il pranzo sintetico in pillole? Nain per mi, nain. Je prefere jaòl, all'antica, sfilatin tagliat con la fromage, con la salam. Te l'acchiapp e... ham!
(*Totò e Peppino divisi a Berlino*)

Oggi mangiate pasta? Va be', va be', ci sto.

Vuole un po' di formaggio? Qualche affine?
(*Chi si ferma è perduto*)

A colazione latte, caffè, burro, marmellata e panini aglioglio.

Le uova sono troppo dolci? Che le devo dire? Saranno uova di Pasqua. (*Totòtarzan*)

Generalità

Personaggi: Totò e una gentile signora.

TOTÒ: Signora, come si chiama?

SIGNORA: Filomena Ossobuco.

TOTÒ: Ossobuco... È milanese?

SIGNORA: No, sono napoletana.

TOTÒ: E a Napoli ci sono gli Ossobuchi?

SIGNORA: Eh, ce ne stanno tanti!

TOTÒ: Allora deve essere una famiglia importata. E mi dica, Ossobuco con due buchi, o con un buco solo?

SIGNORA: Che simpatico!

TOTÒ: Filomena Ossobuco di?

SIGNORA: Fu Gennaro.

TOTÒ: Fu Gennaro? Ma guarda! Io credevo che fosse stato suo marito. (*Siamo uomini o caporali?*)

Gente di fame

Io sono un morto di fame autentico, la mia è una fame atavica, io discendo da una dinastia di morti di fame: mio padre, mio nonno, il mio bisnonno, il bisavolo, il quintavolo e tutti gli avoli della mia famiglia e collaterali. Se lei mi rovescia, dalla mia tasca non esce una lira. (*Totò sexy*)

Giura su qualcosa più sacro del tuo onore: la tua fame. (*Totò cerca pace*)

Tu hai una sola cosa, lo so: la fame.

Io mi ammazzo di lavoro per guadagnare il pane per mia moglie e per le mie figlie. Per me no: mangio solo crisini. (*Totò, Peppino e le fanatiche*)

Io sono un'anima vagabonda, oggi mangio e domani no. Anzi domani no e oggi nemmeno. (*Totò e Marcellino*)

Pastore, ti sei mangiato le dieci pecore del tuo gregge... Come ti capisco... come ti capisco! (*Il monaco di Monza*)

Se non si lavora non si mangia, se si lavora non si mangia lo stesso.

Abbiamo un solo uovo in quattro: il rosso lo mangiamo la mattina e il bianco lo teniamo per la sera. (*Le motorizzate*)

L'uovo è un pollo in embrione, noi ce lo mangiamo e alla nonna diamo l'acqua... È brodo di pollo!

Figlia mia, prima di intingere il pane nell'uovo aspetta che mi diano l'aumento di stipendio. (*Totò e i re di Roma*)

C'ho una fame! C'ho una liquidazione di stomaco che non vi dico! (*Totò contro il pirata nero*)

Quando andremo a mangiare? Be', quando saremo un po' più grandicelli. (*Il ratto delle Sabine*)

Hai un carattere allegro? Allora vuol dire che hai mangiato!

Sono un uomo di fama... Si vede, sono sciupatino. (*Le sei mogli di Barbablù*)

Giocando coi pupi

Bambini, che vergogna dire che avete fame! La fame alla vostra età è un'opinione. Bisogna abituarsi al digiuno, il digiuno fa bene.
(*Il monaco di Monza*)

Bambini, ricordatevi di aprire la bocca soltanto per mangiare.

Per i bambini caffèlatte la mattina e pipì prima di andare a letto... Concesso? No, basta il vasetto da notte.

Sotto c'è la papocchia? Aspetti un bambino? Ecco la papocchiella!

Così piccolo già condomino? Perbacco!
(*Totò e Marcellino*)

A cinque anni ha già tre figli da mantenere? Povero bambino! (*Totò e le donne*)

È un mio amico, gli facevo la barba fin da quando era bambino. (*Figaro qua, Figaro là*)

Il figlio della puerpera è il puerperino.
(*Sette ore di guai*)

È stato un bambino lei? Ma mi faccia il piacere!

Guerra e pace

Gli italiani prima hanno perso la guerra, poi hanno perso la pace. (*Il letto a tre piazze*)

È stata una guerra terribile: granate che scoppiavano a destra, granatine che scoppiavano a sinistra, nella confusione ci uscì pure una mezza gazzosa.

Questo è il dito di un combattente, un combattente che ha fatto la guerra, questo è un dito del dopoguerra! (*Lo smemorato di Collegno*)

Faccio la guardia col fucile. È scarico, ma sempre fucile è... (*I due orfanelli*)

Spade? No, non ho spade, solo tre cavalli e un bastone. (*Fifa e arena*)

Lei ha fatto la marcia su Roma? Lei è un marcista. E dica, dove l'ha fatta questa marcia? (*Totò Diabolicus*)

Dalla Grecia mi ero ritirato, ero nella ritirata del Don. Non mi ricordo in quale ritirata ero. Di ritirate ce ne sono tante...

Chiamate alle armi: Ma guarda che cosa doveva capitare a un galantuomo che pensa agli affari suoi! Mi spediscono in trincea, sotto la pioggia, senza ombrello, a morire di freddo e a fare a schioppettate con un nemico che nemmeno conosco. (*Yvonne La Nuit*)

Vuole sapere la provenienza di quest'uovo? L'ho fatto io. È stata la guerra: penuria di cibo, di vettovaglie: mi sono adeguato. (*Totò cerca casa*)

Vado a combattere da solo, l'esercito mi impiccia le mani, non so combattere con l'esercito di dietro e nemmeno davanti. Io le battaglie me le sbrigo da solo! (*Totò contro Maciste*)

Mai sparare contro un prete, ci mancherebbe altro che dichiarassimo guerra al Vaticano! (*I due colonnelli*)

Vuole controllare i mortai?... I mortai vostri e della vostra famiglia!

Le pallottole mi schifano, anzi sono io che schifo le pallottole.

Prendere la bomba? Eh no, io prima dei pasti non prendo niente. E va be', la prendo, tanto per gradire. (*Totòtarzan*)

Abbiamo conquistato Fiume e conquisteremo gli affluenti, abbiamo conquistato Pola e conquisteremo anche Amapola, Trento l'abbiamo fatta nostra e faremo anche trentuno. Pace e bene, fratelli, pace e bene! (*Il giorno più corto*)

Hollywood

Io non so voi donne che cosa ci trovate in questo Gregorio Pecco! Ava Gardner vale dieci Gregori Pecchi. (*Totò e le donne*)

Io di notte parlo con Kim Novak... Kim dal braccio d'oro, per non parlare del resto. (*Totò, Peppino e le fanatiche*)

Il Vangelo secondo Totò

Ama il prossimo tuo come te stesso. E va be', ma come faccio ad amare quello che mi ha rubato la macchina? (*Totò contro i quattro*)

Se ti trema la mano destra tienila ferma con quella sinistra. (*Le motorizzate*)

Le porgo l'altra guancia... Si accomodi! (*I due colonnelli*)

In aereo

Aiuto, si vola ed io non so nuotare.
(*47 morto che parla*)

Devo allacciarmi la cintura? Ma io porto le bretelle.

In aereo c'è l'ostetrica che sarebbe poi una specie di tramviera.

Siamo in avaria? E va be', siamo arrivati a Varìa.
(*Il letto a tre piazze*)

L'aereo ha una rotta? Non facciamo scherzi... Io se c'è qualcosa di rotto non volo. (*Totò sexy*)

In aereo c'è lo stuard. Hai letto la storia di Maria Stuarda, quella che gli tagliarono la testa? Questo sarà suo fratello.

Sull'aereo militare.
Personaggi: Totò e un soldato.

TOTÒ: Dove stiamo andando?

SOLDATO: A quota X.

TOTÒ: Ed è un bel paese?

SOLDATO: C'è l'aria buona.

TOTÒ: Paisà, cosa si fa a quota X?

SOLDATO: Ci si sgancia.

TOTÒ: Cosa?

SOLDATO: Col paracadute.

TOTÒ: Patate crude... mi sembra un po' magra.

SOLDATO: Ci vuole coraggio quando ci si butta.

TOTÒ: Formaggio e frutta? Non vedo l'ora di arrivare!
(*Totòtarzan*)

Infortuni e disastri vari

Mi chiamano infortunio perché porto jella, porto scalogna, sì, sono scalognato, dove passo io non cresce più nemmeno un filo d'erba. Lo sai come sono io? Sono come Attilia. (*Risate di gioia*)

La signora non ode più... Quindi sciocco e danni.

Un ragazzo con la fionda mi ha fiondato il sedere. (*Totò sexy*)

Oddio, mi hanno ferito, ho qualche foro... (*Chi si ferma è perduto*)

Sono stato in Russia e mi si è congelato il cervello. Sai, la neve cade in testa e dai e dai... (*Il letto a tre piazze*)

Appartiene al ramo cadetto della famiglia: è caduto da un albero di ciliege. (*Totò contro il pirata nero*)

Che disgrazia! Ho sputato in testa al direttore generale! (*Totò e i re di Roma*)

Maledizione! Cinque figlie femmine... Tutte a me devono capitare. Queste so' disgrazie!

Paese che vai frana che trovi: paese piccolo, frana piccola. Se vuole una frana Appenninica deve andare come minimo sulle Alpi. (*Destinazione Piovarolo*)

Accidenti che catastròfa!

In galera

Che bella stanzetta, che bella inferriata, che bella compagnia! Viva la galera!
(*Totò al Giro d'Italia*)

Meglio cento giorni in galera che un giorno con un leone. (*Le sei mogli di Barbablù*)

Mio nonno sta in carcere per un errore, uxoricida: invece di prendere il piroscafo per il Venezuela, pigliò il vaporetto per Porto Longone.
(*Totò sexy*)

Io e il mio amico vorremmo una cella singola con sala da bagno annessa, con una cameriera giovane, friulana tuttofare, con un televisore a 26 pollici. Esiste solo a 24? Non importa, gli altri due ce li mettiamo noi: siamo uomini di mondi!

Due musicisti detenuti: passarono dal contrabbasso al contrabbando.

In carcere è proibito dire le barzellette, allora i detenuti le hanno numerate e invece di dire le barzellette dicono i numeri. Io vado pazzo per la 22, anche la 14 è bella, ma è un po' spinta...

Mi mette ai ferri? E che mi ha preso per una bistecca?

Il secondino: un sedentario statale.

Incontri galeotti: Lei è uno dei soliti ignoti? E volevo dire! Dicevo tra me, guardandola, questo ignoto mi sembra una faccia conosciuta.

Era un componente della banda del buco, ma aveva mangiato troppa pasta: lui è ingrassato e il buco gli si è ristretto. Così rimase mezzo dentro e mezzo fuori e fu arrestato.

Questa è una uxoricida: ha ammazzato il marito, il nonno e la zia. La riconosco dall'orecchio. Da uxoricida.

Questa è una assassina, la riconosco dal piede: ha il piede di porco.

La prossima volta che vai in galera, fatti costruire una cella su misura, all'aria aperta, perché puzzi.

Maciste è evaso di notte? Ma va'!... È scappato col vaso da notte? (*Totò contro Maciste*)

In giro per il mondo

Io e il mio amico abbiamo girato il mondo in lungo e in largo, in bicicletta, a cavallo, in aeroplano, in treno e a cavaceci. (*Totò sexy*)

C'è una capitale col buco, col nome e il cognome: è Bucarest, la capitale della Romania.

Il mare dei Sarcassi passa e bagna Bari, patria di Giotto e di Napoleone. (*Il letto a tre piazze*)

Siamo arrivati alle Canarie. Le ho viste... ogni canaria grossa così!

Porcherie inammissibili? Ma no, ma no, in Abissinia le porcherie non le fanno!

In Russia la posta arriva in ritardo perché i postini vanno piano per paura di scivolare sulla neve.

La neve in Siberia è fredda. Non è mica come la nostra che ci si possono fare le palline.

Sono a Siviglia, sono a Ischia, sono a Sivischia. (*Fifa e arena*)

Che sei venuto a fare a Roma? Ti hanno fatto passare il dazio? (*Totò, Peppino e la dolce vita*)

Andare in Scandinavia? Sì, sì, sotto lo scantinato c'è sempre qualche bottiglia di vino buono. (*Il medico dei pazzi*)

Ero a Strasburgo, ma poi sono passato per il Cile e dal Cile ho fatto Calcutta da dove ho preso la circolare e sono arrivato a Napoli.
(*Il grande maestro*)

Lei è di Milano? Dice che Milano è in Lombardia? Mah, si vede che hanno cambiato... il mondo gira.

Ma come tu vai all'estero senza una penna in tasca? Nemmeno io ce l'ho, ma è perché sono in incognito. (*Totò di notte*)

In Inghilterra si beve solo whisky... le gassose ce le dobbiamo scordare.

Deve fare un salto a Digione? E non le fa male saltare a digiuno? Non so se mi spiego... Io se non mi metto qualcosa nello stomaco non riesco a saltare. (*Totò a Parigi*)

Lei è proprio spagnolo di Spagna? Non è della provincia? Dei Pirenei? (*Il monaco di Monza*)

San Marino non è una potenza straniera... là sono tutti bolognesi. (*Totò nella luna*)

Mi inchino a capo chino. Anche lei? E andiamo a Capodichino! (*Chi si ferma è perduto*)

Il viaggio è durato breve.
(*Che fine ha fatto Totò Baby?*)

Italiani brava gente

Altro che popolo di santi e di navigatori, noi siamo un popolo di traditori, di vociferatori e affini. (*Totò Diabolicus*)

I nordici prendono il caffè lungo, noi sudici lo prendiamo corto. (*Totò Antologia*)

Finiamola con terroni, terroni, sempre terroni, polentoni che non siete altro!
(*Totò e i re di Roma*)

Sono un italiano all'estero, posso farvi arrestare!
(*Totò, Eva e il pennello proibito*)

Sono un italiano internazionale, signorsì, nato a Battipaglia, cresimato a Nocera, vissuto a Spoleto. Come vede, sono apolide. (*Tempi nostri*)

Per colpa della pessima pubblicità che ci fanno le agenzie di viaggio, i turisti vengono da noi con i portafogli legati alla giacca con una catenella. Povera Italia! (*Operazione San Gennaro*)

Noi italiani abbiamo avuto una educazione umanistica democratica cristiana. (*Il latitante*)

Ma è possibile che noi italiani all'estero ci dobbiamo far conoscere? È possibile che ci dobbiamo sempre tirare i piedi l'uno contro l'altro?
(*Totò e Peppino divisi a Berlino*)

Vile, vigliacco, non pensi chi sei, che sei un italiano? L'Italia che ha dato i natali a illustri personaggi, a Fermi e a tanti altri: Lucrezia Borgia, GiovanBattista Vico, Cimarosa e Alessandro Mazzini, Sansone, Guerra... Tu discendi da questo popolo! Chi mi dice che tu nel sangue non hai il bacillo di Lucrezio Caro, per esempio, di Michelangelo Buonarroti? Tu puoi essere un buonarrota e non lo sai.

Ormai in Italia siamo tutti forestieri.
(*I due marescialli*)

James Bond alla napoletana

Appunti di un agente segreto: Il pechinese c'ha la video chiave in bocca, allora il maltese, che ha mangiato la foglia, dice al marchese: «Qui c'è un lupo», il lupo che ha perduto il vizio. E poi c'è il pechinese che è cinese, il cinese fa l'indiano e il maltese cosa fa? Lo gnorri.
(*Totò Antologia 2*)

Non posso dire chi sono, ho il segreto professionale.

Ho l'ombelico sul collo... è un travestimento.

Lamento per la morte di Pasquale

Personaggi: Totò e la vedova racchia.

LA VEDOVA: Permettete che mi faccio un piantarello qui?

TOTÒ: Prego, s'accomodi...

LA VEDOVA: In camera mia non posso dormire, me lo vedo sempre davanti agli occhi.

TOTÒ: E chi è?

LA VEDOVA: Pasquale.

TOTÒ: Pasquale? E chi è Pasquale?

LA VEDOVA: Il mio povero marito, è morto da due anni e non ho mai saputo perché è morto.

TOTÒ: Io lo so, io, io lo so, io!

LA VEDOVA: E perché è morto? Perché?

TOTÒ: È morto perché con una Befana come voi doveva crepare per forza!

LA VEDOVA: Befana? Come, io Befana?

TOTÒ: Io volevo dire che è morto il giorno della Befana...

LA VEDOVA: Ma è morto a Ferragosto!

TOTÒ: Sì, ma Ferragosto, Befana siamo lì, sa l'anno è bisestile... Signora, levatemi una curiosità, che significa questa scritta che portate sullo stomaco?

LA VEDOVA: «Soltanto lui», è un omaggio alla memoria di Pasquale.

TOTÒ: Eh, soltanto lui poteva avere questo stomaco. Che coraggio! (*Il medico dei pazzi*)

Latinate

Canem in chiesa niscen fortunaten.
(*I due marescialli*)

Preghiera: Ora pronobis, linoleum, linoleum...

Cave canem, cave canem, est est est...
(*Totò e i re di Roma*)

Gattibus frettolosibus fecit gattini guerces. (*Totò a colori*)

L'uomo che maltrattava i negri: Castigare ridendo mores. (*Totò sceicco*)

Cessare necessa est. (*Figaro qua, Figaro là*)

Il cilindro a soffietto: cibus da gentiluomo.
(*Risate di gioia*)

Vox servi dei in dubio udire oportet. Ora pronobis... Ma che c'entrano i dipendenti dell'Autovox che non passano dalla porta?
(*I tartassati*)

Mort tua, vita mia.

Celebramos esto matrimonio e che Dios ce la mandi buonam. Liberamus Domini.
(*Il monaco di Monza*)

Brevi manu: sarà latino con accento sardo.
(*Le sei mogli di Barbablù*)

Excusatio non petita accusatio manifesta. Non è vero! Io non attaccato i manifesti di Petito.

In jus stat iniuria... Ma questa Giulia dove sta? Ah è latino? Lo avevo preso per siciliano. Sa com'è, sono stato vent'anni in Siberia.
(*Il letto a tre piazze*)

Matrimonio rato e non consumato significa che si può sempre consumare.

Anima dell'anima mea, quantum sei bonam!
(*Totò all'inferno*)

A estremum malis estremis remedium.
(*Il ratto delle Sabine*)

Come si dice, fiat autobus, l'uomo nasce libero.

Ricordatevi quel vecchio detto siciliano: Mors tua... (*Totò cerca casa*)

Lezione di spagnolo

Facchinos prendas le valigias. Se hablo spagnol? Sì, ho avuto la spagnola, da ragazzo.
(*Totò, Eva e il pennello proibito*)

Caballero camarero, avete una stanza?

A me non me ne frega nada de nada. Capito?

Di quella donna non mi interessa nada de nada... anzi nuda de nuda.

Chiamate i vigili del fuego, annego! Sono in un pozzo, qui puzza!

In spagnolo albergo si dice ospedale? Davvero? Signora, come vorrei avere una malattia cronica per stare tanto tempo in ospedale con lei!

Che pasa? Ho passato un guaio. Magnana? Io non ho magnato niente.

José? È un po' d'appetito, José? Ve l'ho detto, è un po' d'appetito... José? José, ce morimmo e' famme!

Camarero! Qualche cosa da magnér.
(*Fifa e arena*)

Gracias, ma de che se trattas? Cosas da pazzis!

Al bar: Io quiero un cocktail di mia invenzione. Est pronto? Pochito de pepes, una 'nticchia di sales, due 'nticchias di limones, un pochito d'acqua frizzante, un po' di vermut, tre 'nticchias di pomodoros frescos, succo de peperonos. Tutto quanto lo mescoli. Mucias gracias. Fa schifo? Ho dimenticato un piccolos ingredientes: un'oliva. Per forza faceva schifo... Mancava l'oliva!
(*Totò sexy*)

Malati immaginari

La scena: Un ambulatorio medico.
I personaggi: Due signori in attesa della diagnosi, Totò e Mario Castellani.

TOTÒ: Nervoso?

CASTELLANI: Eh, sì, certo, nervoso... Come si può stare tranquilli in un posto come questo?

TOTÒ: No, per carità! Ci mancherebbe altro!

CASTELLANI: Da un momento all'altro si apre quella porta e arriva l'infermiera con la sentenza.

TOTÒ: E quelle sono sentenze sentenze, non ci può salvare nemmeno Perry Mason. O sì, o no, o positivo, o negativo: il dilemma è bicornuto. Lei com'è?

CASTELLANI: Cornuto... Ma che mi fa dire? Sono troppo nervoso...

TOTÒ: Io non la conosco, ho lanciato così, non per sapere gli affari suoi... Sa com'è, una mano lava l'altra... Ma lei è qui per conto suo, o per conto terzi? Perché sa, c'ha proprio una brutta faccia! (*Gli amanti latini*)

Mani pulite

Gente che pappa? Arrestiamola!
(*I due marescialli*)

In Italia chi amministra... ammenestra e c'è chi si pappa tutto il minestrone.
(*Lo smemorato di Collegno*)

Cose dell'altro mondo! Hai capito? Un integerrimo funzionario di dogana a 150mila lire al mese ha un appartamento, attico, super attico, dieci stanze, argenteria, mobili antichi, maggiordomo, due cameriere, quattro boutique, tre per la moglie e una per l'amica che lo chiama Pipì. Io non capisco come si fa a fare tutto ciò con 150mila lire al mese! Lui dice che vince spesso al Totocalcio, che ha trovato il sistema... Lo chiama sistema!
(*Totò contro i quattro*)

Con la magistratura non si scherza, è l'unica cosa seria che ci sia rimasta in Italia. (*Gli amanti latini*)

Mestieri particolari

È duro alzarsi tutti i giorni alle quattro... alle quattro del pomeriggio: faccio il pappa. (*Che fine ha fatto Totò Baby?*)

Pappa è chi vive sfruttando le donne. Pappa viene dal greco: papis papus. (*Totò sexy*)

Faccio il guardiano: guardo gli interessi di mia moglie. (*Che fine ha fatto Totò Baby?*)

Uno che si interessa ai matrimoni altrui: il bombonierista. (*Risate di gioia*)

Sono un F.F., facente funzione. (*Figaro qua, Figaro là*)

Quell'avvocato è il principe del foro: è un sorcio, conosciuto in tutti i fori. (*Sette ore di guai*)

Io sono un calzolaio che fa solo scarpe destre. Se le va bene, bene, altrimenti se ne vada. (*Il monaco di Monza*)

Sono un integerrimo avventizio anagrafico. (*Totò cerca casa*)

Lei è professore e va a scuola? Alla sua età? Somaro, ciuccio! (*Il letto a tre piazze*)

Il perito fa le perizie callifughe.

Un uomo che ha sempre delle trovate è un trovatore. (*Le sei mogli di Barbablù*)

Lei è un mazziere? Mi sembrava una faccia conosciuta! (*Totò contro il pirata nero*)

Mi hai morso la falange... sei un falangista. (*Le motorizzate*)

Il promotore: quello che fa le promozioni. (*Chi si ferma è perduto*)

Ho una borsa di coccodrillo e voglio la valigetta in *parure*. Sono un paruraro. (*Il latitante*)

Ministeri, annessi e connessi

Se noi facciamo una bella petizione al Ministero tutti quanti insieme, a occhio e croce, siamo una bella massa di petenti. (*Totò cerca casa*)

Signor ministro, mi rendo conto che 300 posti di lavoro sono tanti, mica sono fiaschi. Lei dia il posto a me e gli altri 299 si arrangiano. (*Totò, Peppino e la dolce vita*)

Il nostro è un paese di santi, di navigatori e di sottosegretari. (*Lo smemorato di Collegno*)

È morto il sottosegretario? Un sottosegretario in meno! E non sei contento? (*Totò, Peppino e la dolce vita*)

In questo ministero le pratiche spariscono, ma non sono io che le mangio, sono i topi, i sorci, i roditori. Roditori... c'è scritto anche sulla bustina del veleno: «Roditori, animali da chiavica». Eh... per questo stanno qua. (*Totò e i re di Roma*)

Miseria e nobiltà

Viviamo in un mondo in cui se uno ha la fortuna di avere il certificato di povertà, subito glielo contestano. (*47 morto che parla*)

È una giacchetta nuova, l'ho fatta rivoltare dieci anni fa.

Mia moglie prende il bicarbonato per digerire l'acqua. (*Il grande maestro*)

Preparami un bel cocktail: un bicchiere d'acqua del cassone e un bicchiere d'acqua del rubinetto.

Se penso a una cifra superiore alle diecimila lire, mi viene un infarto.

Che cosa vuole che sia un milione? E chi l'ha visto mai... (*Totò, Vittorio e la dottoressa*)

Tratta bene questa giacca: è figlia unica. (*Totò e i re di Roma*)

La colpa è tutta di quella strega di mia suocera! Sa che stiamo senza una lira e non viene in sogno a darmi i numeri. Magari anche un ambo sulla ruota di Cagliari... Io mi accontenterei.

Per sistemare la famiglia muoio e siccome è scientifico che i morti appaiono in sogno, io appaio a mia moglie e le darò i numeri. E la miseria è finita.

Non ho i soldi nemmeno per i funerali... Vuol dire che al cimitero ci andrò a piedi.

Bando alla miseria! Diamo fondo alle nostre riserve e prendiamo un taxi. (*Risate di gioia*)

Ti offro una bella pizza... I soldi ce li hai?

Sai quei palazzoni lerci, con le finestre lerce, abitati da gente lercia? Be', io abito lì. (*Totò, Peppino e la dolce vita*)

Sono impegnativo: mi sono impegnato tutto. (*Totò e Marcellino*)

Noblesse òblige: la nobiltà è obbligatoria. (*47 morto che parla*)

È tornato il conte di Almaviva? No? Questi conti non tornano mai. (*Figaro qua, Figaro là*)

Un mazzo di carte senza il re... Che fine ha fatto il re? Mah, sarà andato in esilio.

Solo perché è un marchese crede di non dover morire. Ma se io ho visto morire i marchesi come mosche! (*Il monaco di Monza*)

Marchese o maresciallo... Sempre con la emme incomincia.

Marchese di Mendoza, o marchese di Scamorza è lo stesso. (*Totò contro il pirata nero*)

A Via Veneto ci sono solo titolati: principi, conti, marchesi... Qui i conti non si pagano mai! (*Totò, Peppino e la dolce vita*)

Modestamente...

Non avete mai sentito parlare di me perché sono alieno alla pubblicità, sono alienato. È la modestia che mi frega. (*Totò di notte*)

Non sono grande, ma piccolo, tutt'al più medio. (*Totò Antologia*)

Una statua per me? Non esageriamo... Mi basta un mezzobusto. (*Operazione San Gennaro*)

Ho vinto un concorso, modestamente. Sono arrivato ultimo, ma che vuol dire? Gli ultimi saranno i primi, anche se non andrò mai a Montecitorio. (*Destinazione Piovarolo*)

Io ho sempre ragione, mio padre era vice ragioniere del Castato di Milazzo, modestamente... (*Le sei mogli di Barbablù*)

Mi iscrivo al Giro d'Italia come vincitore, per l'anno prossimo no: mi ritiro. (*Totò al Giro d'Italia*)

Se so fare tutto quello che fa tuo marito? Ma proprio tutto, tutto, tutto? Modestamente... anche di più. (*Il più comico spettacolo del mondo*)

Modestamente, non faccio per vantarmi, ma io detengo... Voi mi vedete così in borghese, ma io detengo un segreto, sono il detentore di un segreto atomico spaziale a razzo interplanetario che vale miliardi! (*Totò nella luna*)

Ho strangolato due livornesi e una padovana, modestamente... Erano galline. (*Il più comico spettacolo del mondo*)

Nel nome del padre

Parlo solo la lingua madre perché mio padre morì quando ero bambino. (*Una di quelle*)

Ognuno di noi ha un sosio nella vita, che colpa ne ho io se il mio sosio è mio padre? (*Totò Ciak*)

Quello ha ucciso nostro padre? È un parricida!

Non posso vendicare la morte di mio padre, non posso uccidere il suo assassino perché ho la colite.

Mio padre è maresciallo dei bersaglieri a riposo... Infatti sta disteso, a riposo, longo sul letto. (*Totòtruffa 62*)

No cara, non potrei essere tuo padre. Al massimo fratellastro, fratellastro maggiore. (*Totò, Peppino e le fanatiche*)

Di babbo ce ne è uno solo. A meno che... ma lasciamo perdere! (*Gli amanti latini*)

Tuo padre era un uomo magnanimo? E, dimmi, dimmi, che si magnava? (*Il monaco di Monza*)

La letterina (con economia di consonanti): Ho scrito una letera al babo, mio caro adorato papà, salutami il nono e la nona e tanti baceti a mamà. (*Che fine ha fatto Totò Baby?*)

Nomi, cognomi e soprannomi

Lei si chiama Trombetta? Allora suo padre è un trombone. (*Premio Nobel*)

Corrado, Corradino... senza pane e senza vino.

Lei si chiama Corrado e basta? Allora è lo scognomato, senza cognome, come Lorenzo il Magnifico e Giovanni dalle Bande Nere.

Mi chiamo Nicola: Ni come Napoli, Co come colla e La come musica. (*Fifa e arena*)

Io sono il 45 12, Quarantacinque di nome e Dodici di cognome, fu Settantotto e di Maria Mastrocinque. (*Totò, Peppino e le fanatiche*)

Lei si chiama Caprioli? E mi dica, mi dica, le capriole le fa dove si trova?

Antonio e Peppino in Inghilterra: Toni e Pepi.

Gennaro Spaghetti, con la s come Savona, allora sua sorella è la signora Lasagna.
(*Il grande maestro*)

Il sono il maestro Mardocheo Stonatelli, un nome che dice niente a chi è ignorante di moseca.

Si chiama Ercole Sansone, ma non si regge in piedi, sta per morire. E già: muoia Sansone con tutti i Filistei! (*Totò Antologia*)

Che colpa ne ha un bambino se lo chiamano Prosdocimo, Temistocle, Senofonte?
(*Lo smemorato di Collegno*)

Mi chiamo Giotta: mio padre era pittore.
(*Totò sexy*)

Voglio un nome e un cognome, saranno diciotto anni che non festeggio il mio compleanno!
(*Lo smemorato di Collegno*)

Lei incomincia ad avere qualche ruga... Rugantino! (*Totò Diabolicus*)

Lei è il notaio Cocozza? Sa che conosco suo figlio? Cocuzziello.

Carlo D'Amore? Perbacco, questo cognome è tutto un programma! D'Amore si muore... di fame. (*Totò, Fabrizi e i giovani d'oggi*)

Lei è Girolamo Scamorza? Non posso concludere l'affare, mi dispiace, ma sono in trattative con Decio Caciocavallo, un vero provolone. (*Totòtruffa 62*)

Decio Cavallo? Avevo capito caciocavallo.

Tòbia e Tobìa è lo stesso.
(*Totò, Eva e il pennello proibito*)

L'avvocato Espinaci? Sì la conosco, la incontro spesso al mercato: sono fisionomista.
(*Sette ore di guai*)

Caro avvocato Lattuga... Ah, si chiama Spinaci? E va be', sempre ortaggi sono.

Mi chiamo De Pasquale, col p come Livorno.

Ti chiami Magda? Avevo capito màmmeta.
(*Totò, Peppino e la dolce vita*)

Io sono Antonio Barbacane, dei Barbacane, niente a che vedere con Pisacane che è il ceppo toscano. Il mio è un ceppo etrusco, io discendo dall'etruscheria in persona. Cave canem in latino significa Barbacane.

In casa Castagnaro ci stanno le castagne?
(*Il letto a tre piazze*)

Sono Antonio Esposito di Torre del Greco, sposato con Carmela d'Acitrezza, da ragazza Capuzzi. (*Le sei mogli di Barbablù*)

Stanislao Zighetti... Lei al posto del cognome c'ha uno starnuto.

Lei si chiama Misha? Credevo che fosse il nome di un gatto. La chiamerò Miscione.
(*Che fine ha fatto Totò Baby?*)

Un nome scintillante? Ottone, un nome leggero? Piombino, un nome scoppiettante? Castagnole, un nome di battaglia? Maresciallo!
(*Il più comico spettacolo del mondo*)

Nomi stranieri:
Laura Ross... Questo nome non mi è nuovo. Lei è quella delle mutande? Eh già, le mutande di Lana... (*Le sei mogli di Barbablù*)

Ti hanno preso per Patzon e invece tu sei scemo.

Non è vero e non ci credo

Io quello non l'ho mai conosciuto. Volete vedere che lo sputo in faccia?
(*Totò e Peppino divisi a Berlino*)

Non posso trasformarmi dalla testa ai piedi perché ho qualche calletto. (*Premio Nobel*)

Pronto? Ha sbagliato numero, noi il telefono non l'abbiamo. (*Gli onorevoli*)

Il numero 100? Porta fortuna.
(*Totò al Giro d'Italia*)

Non ho mai visto un calletto sensibile come il suo. Complimenti! (*Il latitante*)

Ho un piede da bambola... Lo vuole vedere? No? Guardi che perde una occasione.

Quest'uovo non è mio... l'ho preso in prestito.
(*Totò cerca casa*)

Somiglio al tuo primo amore? Allora sono bellissimo! (*Totò e le donne*)

Dimostro più della mia età perché l'anno che sono nato era bisestitico e quindi ogni anno a me mi conta due. (*Totò contro il pirata nero*)

Nozze riparatrici

Eccomi, sono il testimone oculare alle nozze.
(*Operazione San Gennaro*)

Il giorno del matrimonio: Auguri e figli maschi!
Be', se è maschio, lo sapremo tra un mese.

Brindisi nuziale: Adesso che gli sposi con diletto, si stanno accomodando dentro il letto... Ah già, quelli il diletto se lo sono già preso, si sono già accomodati...

Ogni limite ha una pazienza

Lo vuoi sapere? Non mi va più di campà! I capuffici, l'orario d'ufficio, i bambini, le scarpe dei bambini, l'affitto, il fruttivendolo, le pensioni, le guerre, le lambrette, la scuola, il carovita, i cinesi... Non ne posso più! Che razza di vita è questa? Basta! Morire è un affare.
(*Totò e i re di Roma*)

Ognuno deve fare il suo mestiere, se lei è un paziente, deve avere pazienza, o benedettindio!
(*Totò Diabolicus*)

È il vaso che ha fatto traboccare la goccia.
(*Premio Nobel*)

Parole e musica

Io ti ho sposato solo perché ti chiami Peppina, come Giuseppe Verdi, il cigno di Busseto. (*Il grande maestro*)

Il maestro Mardocheo Stonatelli, in casa ci sta solo per Ricordi, per gli altri, è al Festival di Strasburgo.

Ho scritto un'opera lirica *La Francescona* che sarebbe la madre di Francesca da Rimini, una chiattona.

Giuseppe Verdi aveva il suo fascino, il fascino slavo.

Beethoven, benché cieco, ha composto la fuga della bacche e la nonna di Beethoven.

Totò con Mario Castellani dall'impresario di musica rock: Lei che ha i Demoni, i Rinnegati e i Disperati, non avrebbe per caso bisogno di due poveri disgraziati come noi? Facciamo tutti i generi, tranne quelli alimentari. Ce ne siamo scordati. (*Totò Antologia*)

Totò a proposito della musica hippy: Se sei bello ti tirano le pietre, se sei buono ti tirano le pietre. Ma allora questi fiori nei cannoni che ce li abbiamo messi a fare?

... La nonna di Beethoven, la sorella di Bach, sappiamo tutto: Bacco, tabacco e Venere riducono l'uomo in cenere. (*Totò di notte*)

Io ti ho insegnato a suonare il contrabbasso quando sapevi suonare a malapena la caccavella... Ti ho fatto uomo!

Non posso suonare questo pianoforte: mi sta corto di maniche. (*Figaro qua, Figaro là*)

Rosina suonava la spinetta... Eh già, non c'è Rosina senza spinetta.

Le note della musica per me sono otto, una l'ho aggiunta io di riserva.

Ho scritto un'opera lirica, il mio capolavoro. Ho già trovato il titolo, si chiamerà «Epopea italica». Vedi, qui stiamo al secondo atto, quando Cristoforo Colombo fa rapire Elena di Troia. Poi sopravviene la madre di Elena... Be', lasciamo perdere! (*Totò a colori*)

Ammettiamo che io, per democrazia cristiana, voglia dirigere questa banda, questa bandaccia di paese, mi dica un po' lei, il trombone chi lo suona? Giuseppe Verdi? E il tamburo lo mettiamo sulle spalle di Gaetano? Come Gaetano chi? Donizetti!

Lei ha un piffero? Io ho due pifferi e una zampogna... una zampogna grossa così.
(*Le sei mogli di Barbablù*)

Paure

Sì, ho paura, sono un uomo che ha paura. Che c'è di male? Ognuno è come è: mia zia ha i baffi, mio cugino ha un capoccione e io ho paura.
(*Fifa e arena*)

Lei ha tanta emozione? Io ho novanta... la paura.
(*Le sei mogli di Barbablù*)

Aiuto! Ho paura: c'è un cadavere morto.

Siamo chiusi in una scatola di ferro come sardine e non abbiamo nemmeno l'apriscatole... Mi soffio il naso.

Paura io? A me quello mi fa un baffo, poi un altro baffo e il terzo baffo me lo fa a torciglione.
(*Il più comico spettacolo del mondo*)

Ma come lei sta ancora qua? E quanti anni ha? 97? Ma mi pare che esageri, si decida una buona volta, si decida. (*47 morto che parla*)

Trapassai, defunsi, decessi. Quanto mi dispiace questa notizia! Ero simpatico, nel fiore degli anni.

L'altro mondo è lontano da ogni centro abitato.

I fantasmi sono fatti d'aria, sono aerei, sono dirigibili.

Ogni tanto i morti appaiono ai vivi, quando sono in libera uscita.

Chiacchiere tra fantasmi.

UN FANTASMA: Non sono né un signore, né una signora, sono un'anima.

TOTÒ: L'anima di chi?

UN FANTASMA: Di un defunto.

TOTÒ: Oh, quanto mi dispiace, le faccio le mie condoglianze. E mi dica, da quanto tempo è morto?

UN FANTASMA: Da quattrocento anni.

TOTÒ: Corbezzoli, come se li porta bene! Ma che cura fa lei? Va be', pensiamo alla salute! Lei il signor 47, 47 è il morto che parla.

Devo portarti quell'uomo vivo o morto? E se è in agonia che faccio? (*Totò Antologia 2*)

Quante volte ve lo devo dire che non voglio trovare morti in casa? A me il morticino in camera mi disgusta, mi nausea. E poi sono allergico alle salme. (*Noi duri*)

Vi auguro una buona morte, esalate, esalate... a morire c'è sempre tempo.

Se le cose stanno così non mi resta che adire le vie letali.

Macché decesso! Questo è morto cadavere.

Ci ha sbarazzato di tutti i cadaveri? Sbarazzino!

Tu morti ne hai? Pochi? Peccato! Te ne avrei fatto volentieri qualcuno io.
(*Capriccio all'italiana*)

Mio marito è morto annegato, ma l'acqua non ha alterato le sue sembianze. Sembrava ripescato di fresco. (*Totò Diabolicus*)

Necrologio in Germania: Le fraulein, le bambole di Norimberga, sono partite. Anzi dipartite.
(*Che fine ha fatto Totò Baby?*)

Questo cadavere per noi è un peso morto.

Quel cadavere non l'ho cadaverizzato io: era già morto.

Tutti dicono che stai per morire, ma non ti preoccupare: sono solo dicerie.
(*Destinazione Piovarolo*)

Signora, lei è vedova di tre mariti? Allora ci vediamo il 2 novembre.

I vedovi quando sono ricchi e maggiorenni hanno un solo dovere: morire. (*Totò cerca pace*)

Ho detto che sto con un piede nella fossa, non con tutti e due. Comunque, se arrivano i miei nipoti, dite che i funerali sono stati già fatti.

Suo marito è morto cadendo dalle scale? Poveretto! E si è fatto male? (*Totò all'inferno*)

Non posso morire! C'ho un appuntamento.

Il malato incurabile va in ferie, gli danno un lungo ponte verso l'eternità. (*Gli amanti latini*)

Il conducente del carro da morto... una parola di otto lettere? Beccamorto! Finisce con la «e»? Allora cadavere. (*Totò e i re di Roma*)

Un funeralicchio così costa cinquantamila lire? Gesù, non si può più nemmeno morire!

Al mio funerale, mi raccomando, niente opere di bene, ma solo fiori.

Precisazioni

Per sua norma e regola io non sono moroso, sono un uomo serio, vedovo e mi faccio i fatti miei. Ha capito, acca? (*Il monaco di Monza*)

Non puoi essere il mio braccio destro perché sono mancino. (*Totò sexy*)

Virtuoso tu? Tutt'al più puoi essere, grosso modo, virtuosino.

Il mio indirizzo lo sa: Fermo Posta - Giardini Pubblici. (*Il latitante*)

La zingara mi ha letto la mano e ha detto che sono un uomo fortunato: ci deve essere un errore di stampa. (*Totò a Parigi*)

Una volta ero qualcuno, la prima tromba al Conservatorio, non posso suonare la grancassa. Io ho una mia dignità, sono ex, ma sempre tromba. (*Totò e Marcellino*)

Certo che sono io! Chi vuoi che sia, un pinco qualsiasi? (*Totò cerca pace*)

Sono enigmatico? Sfido io! Sono nato settimino. (*Le sei mogli di Barbablù*)

Io quando fingo fingo sul serio.

Noi non ci siamo conosciuti altrove perché al Trove io non ci sono mai stato.

Dove ho alloggiato? No, non ho preso nessun orologio.

Io sono nato di otto mesi: sono ottavino.

Mettiamo i puntini sulle i o le i sui puntini. Fate voi! (*Totò sexy*)

Presunti innocenti

Basta con questo incenso! Quante volte ve lo devo dire che sono incensurato? (*Totò contro Maciste*)

Ci ha fatto pedinare? E che siamo tipi da pettinare noi?

Tu appartieni al codice cavalleresco, io a quello penale. Siamo lì: se non è zuppa è pan bagnato. (*Totò contro il pirata nero*)

Non mi posso muovere perché c'è una forza superiore che mi trattiene: la forza pubblica. (*Il più comico spettacolo del mondo*)

I miei familiari ignoravano la mia attività, anche mia suocera è ignorante... Però se l'arrestate mi fate un piacere. (*Le motorizzate*)

Un medico in carcere per errore: invece di dare il calcio alla moglie le aveva dato una coltellata. (*Totò sexy*)

È omicidio colposo, lo so. È la vecchietta che si è buttata sotto, ma il cadavere ne è uscito. (*Il latitante*)

Attenzione agli errori giudiziari, perché poi ne pagheremo le conseguenze. Ovvìa! (*Totò e Peppino divisi a Berlino*)

Qui si tenta di influenzare un testimone che già in anteprima assoluta si dimostrò una carogna. Avvocato, a verbale!

La macchina della giustizia è in movimento? Ma non si potrebbe dare una spintarella a questa macchina? Vostro onore, salutami a sòreta!

Puzze sparse

Siamo morti da tempo... sento un puzzo!
(*Totò sceicco*)

Sento una puzza... puzza di topi morti. Sei tu?
(*Noi duri*)

Dove vuoi andare? Sei ubriaco, puzzi di vischio.
(*Una di quelle*)

Carmela d'Acitrezza... Che puzza, da ragazza, che schifezza! (*Le sei mogli di Barbablù*)

Quando mi vengono i cinque minuti puzzo... puzzo di carattere.
(dallo sketch *Medaglia al valore*)

Quando c'è la salute

Lei ha un rene d'argento e l'altro da due mesi non funziona? Non si può lamentare. Domani deve entrare in clinica perché le devono togliere lo stomaco? Non si preoccupi, meglio un pezzo di meno che uno in più. Come si dice, quando c'è la salute. (*Totò Antologia*)

Chiamatemi un medico, c'è un cadavere da visitare.

Porto la sciarpa perché ho la sinovite al collo. Lo so, la sinovite viene al ginocchio, ma non tutti siamo eguali.

Ho le ossa lussate e una specie di colpo al cuore. (*Totò e i re di Roma*)

Dottore, il mio è un caso difficile, è un casocavallo. (*Lo smemorato di Collegno*)

Dottore, mi dimetta. Non mi vuole dimettere? Non fa niente, siamo tra amici. Vuol dire che mi dimetto da solo, scrivo le mie dimissioni.

Aspetto che la colite si scubi, per ora è in incubazione. (*Totò Ciak*)

Che cosa avete di forte da bere: rum, whisky, tequila? No, mi dia un po' di petrolio ché ho lo stomaco delicato.

Ho la febbre, brucio caldo. (*Fifa e arena*)

Lei ha avuto la meningite? No? Peccato! Avrebbe fatto un'esperienza. (*Totò Antologia*)

Non alzi la voce! Ho il braccio che mi fa male. (*I tartassati*)

Era una falsa magra: per farle le iniezioni ci voleva l'ago da materassi.

Gli ammalati devono stare tranquilli, soprattutto gli appendicitici. Se l'appendicite s'arrabbia, lo so io! (*Totò, Vittorio e la dottoressa*)

L'influenza quest'anno è stata tremenda, il dottore ha avuto solo tre decessi: pochi clienti. (*Totò cerca pace*)

Hanno avuto 50 morti e 300 ammalati con prognosi riservata... una specie di epidemia. (*Il medico dei pazzi*)

Mi ha stretto così forte la mano che la devo mandare in convalescenza.

Io sono costipato, lui è mio cugino: abbiamo lo stesso sangue, ma non la stessa costipazione. (*Totò, Peppino e la dolce vita*)

Mi fanno male i muscoli delle gambe di dietro. Si chiamano polpacci? E che ho detto io? (*Totò contro Maciste*)

Sto male, ho due belle prognosi riservate, una è di scorta.

Il bacillo! Eccolo! Ho visto le zampette.

Quisquilie, pinzillacchere e qualche inevitabile bazzecola

Grazie mille, anche duemila, o tremila... Non ci tengo, sono quisquilie. (*Due cuori tra le belve*)

A prescindere, pensate a me prima e dopo i pasti.

Non sono morto perché sono vivo, vivissimo, stravivo. (*Il letto a tre piazze*)

A prescindere... da che? Non importa, si prescinde.

Non si discute, è un caso di salsomaggiore.

Lei non sa scrivere perché ha l'indice troppo piccolo, un microindice.

Vi racconto un esipodio... Ah, si dice episodio? Ammesso e non concesso.

La notizia per ora è stata sottufficiale, poi diventerà ufficiale. (*Premio Nobel*)

Che è successo? Ragguagliatemi, notiziatemi! (*Totò nella luna*)

Vorrei sapere, confidenzialmente... a titolo di cronico. (*Totò al Giro d'Italia*)

Signori, siedano, cipollino...
(*Totò, Vittorio e la dottoressa*)

Bisogna che ci pensi un istantaneo.
(*Le sei mogli di Barbablù*)

Ragazzi miei, non me ne vanno bene due!

Chi non si arrangia è perduto.
(*Figaro qua, Figaro là*)

R i m e d i

Vuole un rimedio per far ricrescere i capelli? Ecco la colla, ci si appiccica la parrucca e così è fatta. (*Figaro qua, Figaro là*)

Vuole qualcosa per la gola? Una cravatta, un colletto?

Ha perduto la voce? Ecco il rimedio, una penna, così invece di parlare scrive.

Gas venefico per detopizzare l'ambiente.
(*Totò e i re di Roma*)

A tutto c'è rimedio: pensiamo noio.
(*Totò, Peppino e le fanatiche*)

Scherzi a parte

La preghiera del clown.

Noi ti ringraziamo nostro buon Protettore per averci dato anche oggi la forza di fare il più bello spettacolo del mondo. Tu che proteggi uomini, animali e baracconi, tu che rendi i leoni docili come gli uomini e gli uomini coraggiosi come leoni, tu che ogni sera presti agli acrobati le ali degli angeli, fa' che sulla nostra mensa non vengano mai a mancare pane ed applausi. Noi ti chiediamo protezione, ma se non ne fossimo degni, se qualche disgrazia dovesse accaderci, fa che avvenga dopo lo spettacolo e, in ogni caso, ricordati di salvare prima le bestie e i bambini. Tu che permetti ai nani e ai giganti di essere ugualmente felici, tu che sei la vera, l'unica rete dei nostri pericolosi esercizi, fa' che in nessun momento della nostra vita venga a mancarci una tenda, una pista e un riflettore. Guardaci dalle unghie delle nostre donne, ché da quelle delle tigri ci guardiamo noi, dacci ancora la forza di far ridere gli uomini, di sopportare serenamente le loro assordanti risate e lascia pure che essi ci credano felici. Più io ho voglia di piangere e più gli uomini si divertono, ma non importa, io li perdono, un po' perché essi non sanno, un po' per amor Tuo, un po' perché hanno pagato il biglietto. Signore mio, se le buffonate servono ad alleviare le loro pene, rendi pure questa mia faccia ancora più ridicola, ma aiutami a portarla in giro con disinvoltura. C'è tanta gente che si diverte a far soffrire l'umanità, noi dobbiamo soffrire per divertirla; manda, se puoi, qualcuno

su questo mondo capace di far ridere me come io faccio ridere gli altri.
(*Il più comico spettacolo del mondo*)

Senza sapone

Dialogo tra igienisti con Totò e Mario Castellani.

TOTÒ: I guanti li porto per l'igiene, sono igenico, modestamente.

MARIO CASTELLANI: Con questo che cosa vorresti dire? Che io sono sporco?

TOTÒ: Che ne so? Da vicino non si direbbe.

MARIO CASTELLANI: Meno male! Faccio il bagno tutte le mattine.

TOTÒ: Bello sporcaccione!

MARIO CASTELLANI: Come sarebbe? Uno che si fa il bagno tutti i giorni è uno sporcaccione?

TOTÒ: Scusa, se tu hai una camicia pulita, cosa fai? La lavi?

MARIO CASTELLANI: Eh no, se è pulita che la lavo a fare?

TOTÒ: E se viceversa, ammesso e non concesso è sporca, tu cosa fai?

MARIO CASTELLANI: La lavo.

TOTÒ: E tu perché ti lavi? Sozzone! Adesso capisci perché io non mi lavo mai. (*Totò Antologia 2*)

Io non mi lavo, ma una volta, da ragazzo, sono stato a bagnomaria. (*Totò all'inferno*)

Borotalco? Me lo conservo... a Natale faccio il bagno. (*Totò, Peppino e la dolce vita*)

Sesso chi legge

La signorina è illibata e solo io, il marito, la posso delibare. (*Totò e le donne*)

Cara, vieni a letto, mica ti ho sposato in contumacia.

Tra moglie e marito il bacio della buona notte è di prammatico.

Sì, ti sposo, ma non potrei avere un anticipo? Qualche bacio, qualche affine...
(*47 morto che parla*)

Voi siete scapole, noi siamo scapoli, facciamoci una bella scapolata! (*Totò, Peppino e le fanatiche*)

C'è anche il bis del bacio: bis in inglese vuol dire bacio.

Sono un napoletano verace, veracissimo e, volendo, posso essere anche un napolitan-lover.
(*Totò Antologia*)

Dopo tante donne nude, guardi solo quelle vestite. Degenerato! (*Totò di notte*)

La casa dello scapolo: un soggiornino, un salottino, un cucinino piccolo piccolo e un lettone grande grande che ci si può sguazzare dentro, è un letto fatto apposta per la sguazzata.
(*Capriccio all'italiana*)

Vuoi sapere che ci facevo con le donne ai miei tempi? Mandami tua sorella... sono sicuro che è edotta.

Io con le donne ho 50 anni di servizio, anzi, che dico?, di onorato servizio, con la medaglia al valore e la croce al merito.

Da chi è frequentata Villa Borghese di notte? Dai cosi e dalle cose: chi ci va qualche cosa la fa. (*Totò contro i quattro*)

Una donna bellissima... non si può toccarla senza cosarla... (*Totò sceicco*)

Cara, io ti apprezzo, tu mi apprezzi... Perché non ci apprezziamo a vicenda, in combutta? (*Totò a colori*)

Tecniche di seduzione: Io le donne prima me le lavoro con gli occhi poi... parto in quarta. (*Una di quelle*)

Cara, siediti sulle mie ginocchia, lo so, non sei una bambina, ma nemmeno io sono una poltrona.

Giovanotta, un bacio non me lo vuoi dare, il vestito non te lo vuoi togliere, la luce non si può spegnere... Ma che siamo venuti a fare qua? A raccontarci le barzellette?

Una donna che non vede il marito da diciotto anni, che cosa fa quando lo ritrova? Anela... (*Il letto a tre piazze*)

Non mi dispiace che una donna mi riceva mentre è nella vasca da bagno... Sono subacqueo. (*Che fine ha fatto Totò Baby?*)

Signorina, niente paura! Son qui per trastullarla, spogliare una donna è come sfogliare un fiore.

La signorina è tutta casa, lavoro e letto? Ho capito, lavora a letto... (*Totò sexy*)

Lei ha otto figli? Capezzoli, fa lo straordinario!

Sì, riposiamoci, riposiamoci insieme, facciamoci una bella riposata... (*Totò a Parigi*)

Lei è la mia tipa e che tipa! Più tipa di così! Facciamo un po' di pomicia? Un pochinino, una 'nticchia...

Che cos'è il viaggio di nozze? È un treno tra due camere da letto. (*Destinazione Piovarolo*)

Cara, andiamo a fare la luna di miele al Polo Nord. E sai perché? Perché là la notte dura sei mesi. (*Le sei mogli di Barbablù*)

Signora, vuole un abboccamento? E andiamo ad abboccarci...

Un pittore specializzato in nudi femminili? Chiamalo fesso! (*Totò cerca casa*)

Io non voglio soltanto guardare, voglio anche... Come si dice quel verbo? Pomiciare! (*Totòtarzan*)

Viva gli slip, viva le ballerine, viva le donne nude! (*Totò al Giro d'Italia*)

Il pubblico non vuole vedere mostri, formiconi, ragni e affini. Il pubblico vuole vedere donne belle, più che belle, bone! (*Totò nella luna*)

Siamo uomini o capitani?

TOTÒ: Caro, come va? Ma capitano, sa che lei sta benissimo? Faccia le corna!

IL CAPITANO (presunto): Lei mi conosce?

TOTÒ: Io no.

IL CAPITANO: Ma io non sono capitano!

TOTÒ: E lei non ha reclamato? Ma guarda l'ingiustizia umana! Quest'uomo non è ancora capitano... Se io fossi il suo capo la nominerei generale e ci azzeccherei! (*Noi duri*)

Silenziosamente

Io in parlatorio sto zitto.
(*Totò, Peppino e le fanatiche*)

Il nemico ci ascolta? Ah, be', perché se ci ascolta io non parlo. Mica sono fesso! (*Totò Diabolicus*)

Ti scappano troppe parole, fa un po' di attenzione con questi scappamenti!
(*Totò Antologia*)

Va be', devo stare zitto... Ma almeno col naso posso parlare? (*Totò Antologia 2*)

Sta' zitto, non fare il parlatoio!
(*Che fine ha fatto Totò Baby?*)

Fai silenzio, altrimenti chiamo le guardie e ti faccio arrostire. (*Totò a Parigi*)

Silenzio! Cos'è questo mòrmorio? (*Le motorizzate*)

Cammina in punta di ginocchia e statti zitto!
(*Totò di notte*)

Stazione ferroviaria

Ho visto un signore in borghese col cappello in divisa: il capostazione. (*Premio Nobel*)

Ma il capostazione chi è? Mah... forse il padrone della stazione.

Vagon lì? No, no, io il posto ce l'ho qui.

Io ho il posto numero 16 e lei no? Va be', quando c'è la salute.

Autisti, fuochisti, macchinisti, campisti, conduttori, frenatori, facchini, gente di fatica, impiegati alle Ferrovie dello Stato, cerco il mio posto nel carrozzone del treno.

Non mi riconosce? Eh già, sono un viaggiatore in borghese...

Stranezze

Io i guanti li infilo col calzascarpe.
(*Totò Antologia 2*)

Ho la smania di agire, con le mani e anche con i piedi. Io agisco col calcagno.

Hai vinto un terno? Così giovane?
(*Totò e i re di Roma*)

Mi alzo presto, ad ore antidiluviane.
(*Totò e le donne*)

Voglio un passaporto, una carta di dindirindà, una carta igienica...
(*Lo smemorato di Collegno*)

Posso leggere nei tuoi occhi perché sono oftalmico. (*Totò Antologia*).

Io non sudo per due motivi: primo perché ho un segreto, secondo perché non sono fatti che vi riguardano. (*Il più comico spettacolo del mondo*)

Avete sette figli? Eppure vi vedo sempre allegro...
(*Totò e Marcellino*)

Sviste

Se i vicini di casa fanno finta di non vedermi non me ne importa: neanche io posso vedere loro. (*47 morto che parla*)

Ho visto una bicicletta con le scarpe. (*Totò, Peppino e le fanatiche*)

Stia fermo con la testa, mi fa girare gli occhi!

Lei non è fisso? Eppure dalla faccia si direbbe di sì. (*Totò Antologia*)

Nel dolore un orbo è avvantaggiato, piange con un occhio solo. (*Totò sceicco*)

Credevo che fosse una di quelle e invece era una di quelle altre. (*Una di quelle*)

Lei fa il guardamacchine? E allora guardi le macchine. Che mi guarda a fare? Mi ha preso per un'Alfa Romeo?

I miei vestiti sembrano tanti, ma non lo sono: con la pioggia si restringono. (*I tre ladri*)

Qui c'è un buio pesto. Lei col pesto non ci vede? (*Totò, Peppino e la dolce vita*)

Ho sbagliato piroscafo, è un disguido marino. (*Le sei mogli di Barbablù*)

Io credevo che fosse il sarto e invece era l'impresa di pompe funebri che mi prendeva le misure per la bara.

Toponomastica

La scena: La strada.
I personaggi: Due amici che si incontrano, Totò e Mario Castellani.

TOTÒ: Vengo a piedi da quella piazza che sta a Piazza Venezia, dopo mi sono incamminato per Via Nazionale, io ero inter, camminavo in mezzo, poi sono arrivato a Piazza Esedra.

CASTELLANI: Davanti alle Terme di Diocleziano?

TOTÒ: Non l'ho visto Diocleziano.

CASTELLANI: Volevi vedere Diocleziano! Certo che non l'hai visto, è morto.

TOTÒ: No! È morto Diocleziano! E da quanto tempo è morto?

CASTELLANI: Mah, sarà morto da duemila anni.

TOTÒ: Ragazzi, come passa il tempo! Hai fatto caso che muoiono sempre gli stessi?
(*Totò Antologia 2*)

Ufficio immobiliare

Un appartamento così piccolo che ci potevano stare al massimo i sette nani. Biancaneve no, quella era un pezzo di ragazzona!
(*Totò, Fabrizi e i giovani d'oggi*)

Ho comprato una villetta con la piscina. Ma no, non l'ho fatta io. E che mi mettevo a fare la piscina nel giardino! C'era, l'ho trovata...
(*Totò nella luna*)

Una casa moderna: in camera da letto i comodini sono in contumacia e nel bagno c'è un apparecchio igienico in più, forse il bagnetto per i bambini. (*Totò cerca casa*)

Urgemi una casa extra periferica, non la solita fregatura, pentacamere, centralissima, assolata, tutta esterna, fitto basso confermato di servizi, montacarichi e ascensore con terrazzo panoramico, esentasse, extra lusso, confermata di autobusso con giardino di cipressi e piante grasse, mezzo litro di vin rosso e pollo lesso.

Lei è il padrone di casa? Così giovane? E come mai va in giro in borghese? (*Totòtruffa 62*)

Uomini di mondo

Personaggi: Antonio (Totò) e Martino (Peppino De Filippo), due provinciali in viaggio per Roma.

ANTONIO: Mi raccomando, mò che arriviamo a Roma cerca di comportarti bene. Non ti offendere, ma tu sei un po' cafone.

MARTINO: Io cafone? Ma perché? Che cosa dovrei fare?

ANTONIO: Imitami.

MARTINO: Non ho capito che cosa devo fare.

ANTONIO: Imitami.

MARTINO: Ah, avevo capito vitamine.

ANTONIO: Imitami, fai quello che faccio io.

MARTINO: E perché, tu che fai?

ANTONIO: Io c'ho stile, c'ho classe. Vedi, caro Martino, a volte i soldi non bastano.

MARTINO: Non hai soldi?

ANTONIO: Sì, li ho, per me e per te: se tu paghi da te, io pago da me. Ma ci vuole anche una certa esperienza. Io se guardo una donna, ti posso dire vita, morte e miracoli di essa. Caro Martino, io sono pisicologo. (*Una di quelle*)

Un vero signore che vuole fare spicco in una grande serata, indossa il frac, senza cappotto perché è più naturale, sembra che uno sia appena sceso dalla macchina. Lasciati servire, ché io conosco tutte le malizie dell'abbigliamento maschile! (*Risate di gioia*)

Whisky, cognac o pernod? Mi faccia un fischio e un pernacchio, ma che sia freddo. A proposito, un fricorifico ce lo avete? (*Totò a Parigi*)

Ve la do io l'America!

Cristoforo Colombo partì per l'America quando gli Stati Uniti erano divisi consensualmente, cioè legamente tra di loro. Colombo ebbe il natale a Genova, ma a Pasqua passò a Napoli. Era parte napoletano e parte nopeo. Da parte di padre. (*Totò Antologia*)

Non possiamo litigare con gli americani perché abbiamo il Patto Atlantico. Gli americani sono invidiosi perché noi siamo caldi e latini. (*Una di quelle*)

Se gli americani sono sempre bambini, perché la sera non se ne vanno a dormire presto?

Il gatto è il simbolo dell'antico popolo atlantico... è il gatto atlantico. (*Totò sceicco*)

Le americane sono indipendenti, emancipate, sciolte... e a pacchetti. (*Totò, Peppino e la dolce vita*)

Si dice succubo invece di succube? Ma io ho sempre detto succube... Con questo dopoguerra non si capisce più niente! Questi americani hanno cambiato tutto.
(*Totò, Fabrizi e i giovani d'oggi*)

Gli americani sono capaci di fare qualsiasi cosa e anche i Russi. (*Totò e Peppino divisi a Berlino*)

Vigili

Al Comune mi ignorano: sono il vigile ignoto. (*Le motorizzate*)

Quando lei esce di casa non guarda a destra e a sinistra per controllare se ci sono macchine? Allora è un vigile.

Le multe vanno pagate secondo le condizioni finanziarie dell'utente. Vi sembra giusto che un operaio, un impiegato, statale o parastatale con una misera Cinquecento scassata, di seconda mano, o quarta mano, debba pagare la stessa multa che paga un ricco industriale che marcia in Mercedes? Bisogna adottare la scala mobile delle contravvenzioni, la programmazione delle multe con l'ammenda progressiva, istituire la contravvenzione C1, C2... Acci sua e con l'IGE a carico dello Stato!

Vita da cani

Per me crostini ben tostati al burro e caviale, Volga Volga eh! Dopo un po' di potage, vale a dire una minestruccia e in seguito un'aletta di fagiano con un'insalata di sedani e ravanelli, tartufati, s'intende. E per il cane un pugno di riso in brodo ristretto, con ciccioletti di carne cruda. (*Yvonne La Nuit*)

Io e il mio cane siamo due brave bestie: stiamo zitte e capiamo tutto.

Hai un cane ladro e non ti vergogni? Avere un cane ladro è un reato. (*Il monaco di Monza*)

Suo fratello era un Borbone e morse di morte naturale. Eh già... questi barboni mordono sempre!

Lei i cani non li ha mai acchiappati? E lo credo! I cani appena la vedevano, via, se ne scappavano. (*Totò, Fabrizi e i giovani d'oggi*)

Che bel cagno, che bel cagnone! Come ti rassomiglia! (*Totò, Peppino e la dolce vita*)

I film e i critici

DUE CUORI TRA LE BELVE (1943)
Regia di Giorgio C. Simonelli

Totò interpreta Totò.

Il film è essenzialmente una storia d'amore e racconta le avventure di Totò, il quale, per seguire la sua bella, arriva addirittura nella giungla. La ragazza, Laura, figlia di un noto esploratore finito prigioniero dei selvaggi, è ben decisa a rintracciare il padre attraverso Smith, un imbroglione che tende soltanto ai suoi interessi. Totò, passeggero clandestino sulla nave che trasporta i componenti della spedizione, diventa la guardia del corpo di Laura. Insieme a lei capita in una tribù di cannibali, rischiando di finire in pentola, ma alla fine la sua furbizia ha la meglio: Smith viene smascherato, Laura ritrova il padre e, nel classico lieto fine, ricambia finalmente l'amore di Totò. Nel film, che tra gli interpreti conta anche il grande campione di boxe Primo Carnera nei panni di un gigantesco cannibale, Totò si esibisce in una chicca del suo inesauribile repertorio: una filastrocca surreale sulla teoria di Darwin per il quale l'uomo discende dalla scimmia. Sarà vero?, si chiede il comico e ci ricama sopra un mosaico di parole in libertà.

«[...] Totò danza, salta, si abbandona ai suoi taciti fervorini agitando l'indice, fa roteare gli occhi e con la sua comunicativa comicità, con la sua silenziosa, aerea follia, costituisce l'unico numero del film, il quale è stato diretto da Simonelli con molta buona volontà. Ma le trovate e le situazioni comiche sono state realizzate un po' fiaccamente, senza quel ritmo, quel rilievo e quel mordente che le avrebbe rese veramente divertenti [...]»
Ercole Patti, «Il Popolo», Roma, 27 giugno 1943.

«[...] Totò è un grande mimo e varrebbe la pena che un regista intelligente si prendesse la briga di dirigerlo con se-

rietà, cercando anche di trattenere certe sue baldanze frenetiche. A nessuno più che a lui si addice alla perfezione quel famoso dialogo di Kleist sulle marionette. Sembra svitabile come Pinocchio, puoi gettarlo in aria e lasciarlo cadere per terra senza misericordia, tanto fa l'impressione di essere protetto da tutti gli acciacchi. Sorprendente è anche l'estrema mobilità del suo viso oblungo, non so se cavallino o conigliesco, ma certo è indiscutibile una sua parentela con gli animali domestici; così come non è lontano dalla struttura fisica di Buster Keaton del quale conserva, altresì, quella spiccata malinconia dei grandi occhi rotondi, con in più una aggraziata aria istrionesca.»
Giuseppe De Santis, «Cinema», Roma, 10 luglio 1943.

IL RATTO DELLE SABINE (1945)
Regia di Mario Bonnard

Totò interpreta il cavalier Aristide Tromboni.

La storia è ambientata nel mondo del sottobosco teatrale, quel mondo un po' patetico, popolato da attori scalcinati alla perenne ricerca di un impresario. Aristide Tromboni è il capocomico di una compagnia di affamati che, per racimolare un po' di denaro, accetta di rappresentare una commedia orribile *Il ratto delle Sabine,* scritta da un facoltoso professore, aspirante autore. Sarà l'ennesimo fiasco, in un mare di risate, ma quando il capocomico se ne va, con nelle orecchie il suono dei fischi e delle pernacchie del pubblico scostumato, al braccio della moglie grassa e seguito da un cagnolino sbilenco, abbiamo un'immagine chapliniana, da grande cinema. Ma la critica dell'epoca non se ne accorge. Totò, come sempre, inserisce nel copione qualche battuta originale, questa volta ispirata al «fascino del palcoscenico».

«Da anni sentiamo ripetere che, dopo Petrolini, Totò è, tra gli attori italiani, il vero attore, l'autentico attore-creatore. E si citano, a sostegno di questa tesi, le più famose pantomime dell'attore fantasista, alcune macchiette giustamente famose, alcune uscite piene di estro, l'espressività dei suoi gesti essenziali. Dopo aver visto alcuni dei suoi film, e specialmente dopo questo *Ratto delle Sabine,* però, è lecito porsi una domanda: un vero attore, un attore cosciente dei suoi mezzi, si assoggetterebbe così facilmente ad essere coinvolto nei più squallidi e irresponsabili prodotti del cinema italiano?»
Antonio Pietrangeli, «Star», Roma, 15 dicembre 1945.

«[...] Questo *Ratto delle Sabine* ha indubbiamente diritto al brevetto del più insulso, aberrante film prodotto dalla cinematografia italiana postbellica. Una sequela di cretinerie, di sinistri luoghi comuni, per i quali sarebbe stato inutile sprecare, non diciamo pellicola, ma anche carta igienica [...] Pensare che Totò sia capace, con la semplice efficacia della sua maschera, di risollevare le sorti d'uno squallido, volgare, stupido copione, significa rendere un cattivo servizio al beniamino delle platee [...]»
Vincenzo Talarico, «L'Indipendente», Roma, 7 dicembre 1945.

I DUE ORFANELLI (1947)
Regia di Mario Mattòli

Totò interpreta Gasparre.

La storia è ambientata a Parigi nel 1865 e racconta, con lo stile del feuilleton, le avventure di due maturi orfanelli, Gasparre e Battista (Carlo Campanini), rispettivamente giardiniere ed economo dell'orfanatrofio di Passy che ospita parecchie belle ragazze senza genitori. In un ambiente del genere è logico che nascano grandi amori, quasi sempre ostacolati dalle oscure origini delle fanciulle. E proprio per aiutare un'orfanella innamorata, Gasparre consulta una chiromante, madame Thérese, scoprendo per caso di essere il figlio del conte Latour La Fitte. Seguìto dall'inseparabile Battista, si presenta quindi nel palazzo avìto, abitato dallo zio Filippo che si è impadronito del patrimonio di famiglia. Per non cederlo al nipote ritrovato, d'accordo con un gruppetto di amici imbroglioni quanto lui, l'usurpatore organizza una serie di attentati per liberarsi di Gasparre. Il quale, però, sopravvive a tutto, persino a una guerra in cui, nei panni del condottiero, rifà il verso a Napoleone. Peccato che nell'ultima scena del film si scopra che tutte le peripezie del presunto conte sono soltanto un sogno di Gasparre, il quale al risveglio si ritrova orfano e giardiniere come prima.

«Una volta di più Totò ha deluso quanti gli riconoscono ampie possibilità nel campo del cinema. Ma una volta di più bisogna convenire che anche quest'ultimo naufragio è solo e completamente imputabile a chi si ostina a usare questo nostro estroso comico come una saporosa droga per far trangugiare un pasticcio dal poco gradevole sapore [...]»
Lorenzo Quaglietti, «L'Unità», Roma, 27 novembre 1947.

«[...] Totò, presumendo evidentemente di poter trasferire sullo schermo di tutto peso l'intero bagaglio delle sue battute e mossette furbe da buon mimo di varietà, ha finito col travolgere e dominare, non solo il regista Mario Mattòli, ma anche coloro che, con la trama de *I due orfanelli* si erano sforzati di dare al film un movimento e una libertà di motivi sardonici e acerbamente grotteschi, degni forse di miglior recapito [...]»
Alfredo Orecchio, «Il Messaggero», Roma, 27 novembre 1947.

TOTÒ AL GIRO D'ITALIA (1948)

Regia di Mario Mattòli

Totò interpreta il professor Totò.

Totò, che nel trucco e nei modi, rifà il verso a Gabriele D'Annunzio, è un professore innamorato di Doriana (Isa Barzizza), la quale gli promette di sposarlo a patto che vinca il Giro d'Italia. Il professore, che non sa andare in bicicletta, è disperato e decide di vendere l'anima al diavolo pur di accontentare la sua bella. In tal modo riesce a sconfiggere persino Coppi e Bartali, ma a un certo punto si rende conto di aver commesso un errore e vorrebbe tornare sui suoi passi. Il diavolo, però, è irremovibile, fino a quando è costretto a cedere il campo, grazie a un abile marchingegno dell'anziana genitrice del professore. Come a dire che di mamma ce n'è una sola e che il diavolo è meno brutto di come lo si dipinge.
Il film si conclude col lieto fine perché Doriana, appena Totò si taglia la barba, ne rimane conquistata e accetta di diventare sua moglie.

«[...] Sono balorde imprese che magari vi faranno sorridere, ma non vi divertiranno eccessivamente. Fotografare il Totò del palcoscenico non basta: bisognerebbe cercare di dargli una consistenza cinematografica, ammesso che sia possibile... Che pena poi per i tifosi del ciclismo, vedere i loro idoli (ci sono quasi tutti) appiedati dalle battute!»
«Giornale dell'Emilia», Bologna, 7 gennaio 1949.

«[...] Una farsa sciocca che non manca di festosità. Qualche battuta spiritosa ogni tanto la si sente, ma viene fuori guastata dall'abuso dei dialetti.»
Gigi Michelotti, «Nuova Gazzetta del Popolo», Torino, 31 dicembre 1948.

FIFA E ARENA (1948)
Regia di Mario Mattòli

Totò è Nicolino Capece.

Nicolino Capece è un modesto farmacista che viene scambiato per il feroce assassino di sette donne, evaso dal manicomio criminale. Preso dal panico, Nicolino fugge all'aeroporto e, travestito da hostess, s'imbarca su un aereo che lo porta a Siviglia. In Spagna, suo malgrado, si trova coinvolto in varie avventure: un bandito internazionale lo vorrebbe utilizzare per far fuori una bella ereditiera. Nicolino, però, ama troppo le donne per ucciderne una e, per sottrarsi all'ingrato ruolo di killer, finisce sull'arena costretto a combattere un toro gigantesco. Come torero si chiama Nicolete e riesce miracolosamente a cavarsela, tra lazzi e frizzi che sorprendono per la loro attualità.

«Una prova ancora offre questo film delle grandi possibilità di Totò, che la fortuna non ha finora fatto incontrare con un soggetto e soprattutto con un regista capace di sfruttarne adeguatamente le risorse. *Fifa e arena* è un film povero, realizzato in fretta e furia, tuttavia Totò si è assicurato il merito di far ridere gli spettatori [...]»
Lorenzo Quaglietti, «L'Unità», Roma, 23 dicembre 1948.

«È buona parte del nostro mondo rivistaiolo che in questa occasione si è riversato sullo schermo, offrendo il destro a Totò di spadroneggiarvi con la limitata varietà delle sue maschere, che, pur ammirevoli nella loro capacità, non una volta riescono tuttavia a cogliere un motivo profondamente umano.»
Gigi Michelotti, «Nuova Gazzetta del Popolo», Torino, 25 novembre 1948.

YVONNE LA NUIT (1949)

Regia di Giuseppe Amato

Totò interpreta Nino, il fantasista.

Il giovane ufficiale, Carlo Rutelli, perde la testa per una bella canzonettista, Yvonne La Nuit e intreccia con lei una relazione, suscitando le ire del severo genitore, un conte che sogna per il figlio una moglie prestigiosa. Accanto a Yvonne c'è sempre Nino il fantasista, un personaggio divertente, ma anche patetico, che la adora in silenzio. Quando Carlo Rutelli parte per la guerra Yvonne aspetta un bambino e nella sua difficile situazione trova conforto soltanto nell'affettuosa vicinanza di Nino, il quale, prima di arruolarsi anche lui, le dichiara timidamente il suo amore.
Per Yvonne si preparano giorni neri: il fidanzato perde la vita sul campo pochi giorni prima della nascita del bimbo e il conte Rutelli fa in modo di toglierle il figlio facendole credere che è nato morto. Rimasta sola la donna, sempre più disperata, tenta di tornare sulle scene, incoraggiata da Nino che intanto ha ripreso la sua funzione di angelo custode, ma ormai il successo le è sfuggito. Il pubblico che un tempo l'applaudiva entusiasta, ora la fischia e per sbarcare il lunario, Yvonne si adatta a cantare nelle trattorie accompagnata da Nino. Una sera viene avvicinata da un emissario del conte Rutelli, il quale, prima di morire, ha deciso di dirle finalmente la verità. A quel punto Yvonne potrebbe riabbracciare il figlio creduto morto, ma non ha la forza di affrontare la realtà e preferisce rimanere nell'ombra, anche per risparmiare al figlio lo spettacolo della sua decadenza.

«Vicenda patetica, idilliaca, raccontata con stile elementare ed immediato. Yvonne è Olga Villi: elegantissima nel

primo tempo, stracciona e sdentata nel secondo. Nel complesso, però, fresca e gentile. Nino è Totò, amaramente grottesco.»
«Il Nuovo Lavoro», Genova, 11 dicembre 1949.

«[...] Il film è diretto con piacevole garbo e ricrea con delizioso sapore l'atmosfera e il clima di quegli anni ormai così lontani. Olga Villi è una protagonista piena di grazia, vivacità e accorata umanità, assecondata brillantemente da Totò più che mai divertente [...]»
«Il Messaggero», Roma, 4 dicembre 1949.

TOTÒ CERCA CASA (1949)
Regia di Steno

Totò interpreta Antonio Lomacchio.

Un modesto impiegato comunale affronta innumerevoli peripezie alla disperata ricerca di un alloggio decente. Per raggiungere il suo scopo e sistemare così la famiglia che lo colpevolizza, Lomacchio tenta tutte le strade, anche quella dell'imbroglio. Sostituendo il suo nome a quello di un raccomandato, infatti, ottiene un posto di guardiano al cimitero, con annesso l'alloggio, ma la sistemazione si rivela inaccettabile. Il clima certo non è dei più allegri e allora al protagonista non resta che cercare altre case provvisorie, in una girandola di avventure grottesche. Alla fine, in mancanza d'altro, sistema la famiglia in una tenda al Colosseo, dove, inaspettatamente, apprende di aver vinto una grossa somma alla lotteria. Grazie ai soldi la casa sembra vicina, ma ancora una volta Lomacchio vede sfumare il suo sogno per colpa di un truffatore che gli cede un appartamento già affittato. Per il pover'uomo il colpo è troppo duro: gli dà di volta il cervello e finisce in manicomio, che, per quanto poco confortevole, è sempre un alloggio sicuro.

«[...] Probabilmente Totò non legge quello che si stampa sul suo conto, lo ha dimostrato restando insensibile ai cambiamenti, restando fedele al suo istinto comico, anzi alle sue vecchie battute che ogni tanto ancora oggi ripete come se il tempo non fosse nemmeno trascorso da quando caracollava sulle tavole del teatro Principe. In un mondo teatrale così sconnesso, Totò rimane un punto fermo. È certo un attore inimitabile, che non è mai volgare, perché i suoi gesti più volgari diventano arabeschi da contorsionista e le sue battute hanno la forza delle domande stupide. Oggi Totò è talmente definito che si è messo a fare un film dietro l'altro senza aver bisogno nemmeno di una trama [...]»
Ennio Flaiano, «Il Mondo», Roma, 31 dicembre 1949.

«[...] Totò accende l'ilarità con lepidi lazzi, la eccita con sortite clownesche, la scatena con improvvise girandole mimiche che scompongono il suo corpo nelle grottesche figurazioni di un'assurda pantomima, arieggiando persino le deformazioni di una certa arte contemporanea. Ne risulta una comicità elementare, viscerale: si ride senza riflettere, trascinati da convulsi irresistibili e questo oblio totale della coscienza è forse il dono migliore che Totò sa dare al pubblico [...]»
Ermanno Contini, «Il Messaggero», Roma, 15 dicembre 1949.

I POMPIERI DI VIGGIÙ (1949)

Regia di Mario Mattòli

Totò interpreta Totò.

A Viggiù dove non scoppia mai un incendio, esiste un gruppo di zelanti vigili del fuoco, ansiosi di dimostrare la loro abilità. I pompieri, disoccupati loro malgrado, si recano nella città vicina per assistere a una rivista, mescolandosi alle *soubrette* e ai comici, tra i quali Totò, che si esibisce in vari sketch famosi come quello del manichino. In teatro i pompieri incontrano anche il loro comandante alla ricerca della figlia scappata dal collegio per fare la sciantosa. Dopo essersi prodigato per convincere la ragazza a sposare un pompiere, il severo papà si arrenderà ai desideri della figlia.

«Bisognerebbe coniare una nuova parola per definire adeguatamente questo ignobile susseguirsi di quadri di rivista mal fotografati, cuciti insieme alla trama più stupida che si possa immaginare. Ma non ne vale certo la pena [...] Pare che la pellicola abbia fatto parecchi soldi; ne farà ancora, ma ciò non significa che il pubblico, che non ha poi tanto cattivo gusto, ne sia rimasto edificato.»
Alberto Albertazzi, «Intermezzo», Roma, 15 maggio 1949.

«[...] Lo stesso titolo *I pompieri di Viggiù* fa storcere il naso ad ogni onesto recensore. Ma se certi fenomeni si verificano è inutile ignorarli, e può anche essere dannoso ritenere che non siano fenomeni cinematografici. Intanto hanno un loro immenso e affezionato pubblico. Un pubblico che rifiuterebbe ogni considerazione moralistica e si sorprenderebbe se qualcuno tirasse fuori l'arte per dimostrare che quei pompieri la lasciano bruciare senza muovere un dito... Totò, che è legato al suo pubblico con un'intesa ormai ventennale, fa ridere anche se dice: "Buona sera".»
Ennio Flaiano, «Il Mondo», Roma, 30 aprile 1949.

TOTÒTARZAN (1950)
Regia di Mario Mattòli

Totò interpreta Antonio Della Buffas.

Tre loschi figuri si recano nella giungla per catturare Tarzan, l'uomo scimmia, il quale è in realtà Antonio Della Buffas, erede di una grossa fortuna. Riescono nei loro intenti e tornano in Europa con il selvaggio, che mal si adatta alla civiltà e ne combina di tutti i colori. Avvolto in una pelle di leopardo, con tanto di coda mobile, Antonio Della Buffas non passa certo inosservato e conquista una bella ragazza che lo salva dalle grinfie dei suoi carcerieri. Insieme a lei, Totòtarzan se ne torna nella giungla, convinto che essa sia preferibile alla grande città, scomoda quanto una prigione. L'eredità ormai riscossa gli consente comunque qualche lusso in più: a sbrigare le faccende domestiche nella nuova casa sarà lo scimmione Bongo, con la crestina e il grembiulino da cameriera modello.

«[...] Dopo lo spunto iniziale felice, il povero Totò viene abbandonato esclusivamente alle sue risorse. Il motivo che genera il film non è stato sfruttato che in minima parte [...] Una volta visto Totò non doveva essere più possibile pensare a Tarzan senza ridere. Tale è la missione di equilibrio affidata al comico: portare il sorriso sopra le cose troppo serie. Totò è apparso all'orizzonte come un arcobaleno dopo il temporale.»
Aldo Palazzeschi, «Epoca», Milano, 9 dicembre 1950.

«Ormai il fenomeno Totò è una specie di febbre gialla che ha contagiato la maggior parte dei nostri produttori. Quindi non ci resta che seguire il decorso di questa "malattia", la quale, come ogni malanno di questo mondo, dopo aver toccato l'acme della crisi, finirà col concludersi con la guarigione del malato. E ieri il quadro clinico del-

l'epidemia, con Totòtarzan, ha registrato un altro focolaio di infezioni.»
Gaetano Carancini, «La Voce Repubblicana», Roma, 26 novembre 1950.

TOTÒ SCEICCO (1950)
Regia di Mario Mattòli

Totò interpreta Antonio Sapore.

Il marchesino Gastone (Aroldo Tieri), deluso dalla bella Lulù, della quale è innamoratissimo, parte per arruolarsi nella legione straniera. La marchesa madre, disperata, implora il maggiordomo Antonio Sapore, al suo servizio da 25 anni, di riportarlo a casa, a qualsiasi costo. Antonio obbedisce, ma per un equivoco, finisce tra le file dei ribelli che lo costringono a spacciarsi per il figlio dello sceicco. In questi panni il maggiordomo incorre in una serie di guai. Ritrova il marchesino e insieme a lui capita tra le grinfie di Antinea, la fatale regina di Atlantide che uccide con un bacio. Ma nei film di Totò il lieto fine è d'obbligo. Dopo molte peripezie, Atlantide salta in aria, il marchesino sposa la sua Lulù e riabbraccia la madre, mentre il maggiordomo conquista Antinea che, con l'aiuto del parrucchiere, da bruna tenebrosa, si trasforma in una bionda dolcissima.

«Ormai con lo sfruttamento cinematografico di Totò siamo ad un punto morto: questo grande mimo non ha trovato la sua strada, le sue apparizioni cinematografiche si mantengono sulla stessa linea delle sue apparizioni teatrali, puntano cioè sul suo fascino personale sulla sua travolgente vis comica. Per realizzare un film con Totò basta offrire alla sua fantasia uno spunto esilissimo che egli riveste con variazioni di irresistibile efficacia [...] I soggettisti di

Totò, anziché cercare di costruire un autentico soggetto comico, si limitano a suggerire vaghi spunti, presi in prestito dall'avanspettacolo [...]»
Mario Landi, «Film d'oggi», Roma, 13 dicembre 1950.

«[...] È inutile raccontare le gag più divertenti, o raccontare la trama, basta dire che il film riesce a far ridere e che spesso riceve applausi dal pubblico. Totò non ha ancora raggiunto il massimo delle sue capacità, ma ha mostrato che può fare di più e che forse ha trovato la sua strada [...]»
«L'Unità», Roma, 7 dicembre 1950.

47 MORTO CHE PARLA (1950)
Regia di Carlo Ludovico Bragaglia

Totò interpreta il barone Antonio Peletti.

Il film, ispirato all'omonima commedia di Petrolini, racconta la storia del barone Antonio Peletti, avaro oltre ogni limite. Basti pensare che conduce una vita miserabile pur essendo ricchissimo e nasconde accuratamente una cassetta contenente un tesoro. A un certo punto, però, il cuore di pietra del nobiluomo sembra sciogliersi per una graziosa cameriera, non sapendo che la ragazza è innamorata del figlio Gastone. Alle beghe familiari si aggiungono per il barone guai connessi alla famosa cassetta a cui, oltre a Gastone, aspirano il sindaco e altri notabili del paese. Questi ultimi, per impossessarsene, ordiscono una burla con la complicità di Madame Bombon, una procace canzonettista (Silvana Pampanini): fanno credere al barone di essere morto per aver preso per sbaglio una forte dose di veleno. Convinto di trovarsi nell'aldilà, Peletti si lascia andare e rivela il nascondiglio del tesoro, ma poi scoperto l'inganno, corre ai ripari. Pur essendo "vivo, vivissimo, stravivo", finge di essere il fantasma di se stesso, con la complicità della Bombon, per farsi restituire la cassetta dal sindaco. Ma il tesoro finisce nelle mani dell'astuta canzonettista, la quale scappa col malloppo in mongolfiera insieme al colonnello de Tassiny. Il barone li raggiunge e si imbarca con loro, ma durante il viaggio, a causa di una bufera, è costretto a liberarsi del tesoro per alleggerire il peso del velivolo. Ma la cassetta è vuota, poiché Gastone all'insaputa del padre, la aveva già svuotata della sua parte di eredità per sposare Rosetta, lasciando il resto al sindaco per la costruzione di una scuola. E l'avaro resta a bocca asciutta: senza tesoro, senza Rosetta e senza Madame Bombon, sulla quale aveva fatto un pensierino.

«[...] Del mordace grottesco di Petrolini non rimane che il viaggio del protagonista nell'aldilà quando egli crede di essere morto [...] Materia rimasticata più volte dal teatro popolare, e, sebbene qualche scurrilità non manchi, meno volgare di quelle di altri film, a cui Totò ha dato il nome e la bazza. È un film recitato, questa volta dal principio alla fine; sì che Totò non risulta soltanto una marionetta, ma un bravo attore [...]»
Arturo Lanocita, «Il Nuovo Corriere della Sera», Milano, 27 dicembre 1950.

«[...] Diretto da Carlo Ludovico Bragaglia con incalzante alacrità e articolata scioltezza, il film fila allegramente seguendo le peripezie del tesoro e del barone che, impersonato dall'impareggiabile Totò, trova modo di divertire con le sue ineffabili avventure [...]»
Ermanno Contini, «Il Messaggero», Roma, 6 gennaio 1951.

LE SEI MOGLI DI BARBABLÙ (1950)

Regia di Carlo Ludovico Bragaglia

Totò interpreta Totò e Nick Parker.

Totò, costretto a sposare una zitella insopportabile, fugge all'estero e al suo rientro in Italia viene scambiato per il famoso investigatore privato, Nick Parker. Totò entra, per così dire, nella parte e incomincia a indagare sui delitti di un pericoloso Barbablù, specializzato nell'uccisione di donne giovani e belle. Per smascherare l'assassino finge di sposare una giornalista in cerca di *scoop* che segue da vicino le indagini e va a passare la luna di miele nel castello di Barbablù. Nella sinistra dimora, attraverso una serie di peripezie, il colpevole che è poi l'editore per il quale scrive la finta sposa di Totò, finisce nell'acido solforico preparato per il finto Parker. Il bene trionfa e Totò, rivelata la sua identità, sposa sul serio la giornalista della quale, tra un agguato e l'altro, si è innamorato.

«[...] Totò detective è divertente solo a pensarlo: il guaio è che alla fine del film si ha l'impressione di avere assistito a una pessima, sconclusionata e mal riuscita rivista. La macchina da presa si ferma davanti a Totò il quale si esibisce nei numeri soliti del suo repertorio, si contorce, si snoda, fa le boccacce, strabuzza gli occhi, fa gli scongiuri ecc. Ancora una volta il film è tutto sulle sue spalle e più di tanto, è ovvio, che Totò non può fare [...]»
Lamberto Sechi, «La Settimana Incom Illustrata», Milano, 18 novembre 1950.

«[...] Da solo questo portentoso mimo sostiene il peso disperato di tutto il film, senza mai accusare una esitazione, un attimo di stanchezza. Ogni più usuale situazione è per lui una leva per scatenare il suo travolgente temperamento comico; ma la sua innegabile bravura meriterebbe mag-

gior fortuna e maggiore buona volontà da parte degli sceneristi. Ma costoro sembrano avere elevato a bandiera il comodo slogan: "Tanto Totò risolve sempre!"»
Mario Landi, «Film d'oggi», Roma, 22 novembre 1950.

FIGARO QUA, FIGARO LÀ (1950)

Regia di Carlo Ludovico Bragaglia

Totò interpreta Figaro.

Figaro, un barbiere alla moda, tiene aperta la bottega anche di domenica e per questo è condannato a pagare una grossa multa. A trarlo d'impaccio interviene il conte di Almaviva, il quale, in cambio del favore, gli chiede di aiutarlo a rapire Rosina, la figlia del governatore, che ha promesso la ragazza a Don Alonzo, il capo delle guardie. Il giorno delle nozze Figaro organizza una recita in cui è previsto un matrimonio da celebrarsi in palcoscenico e fa in modo che Rosina e il conte di Almaviva sostituiscano gli attori. I due innamorati si ritrovano quindi sposati, sotto gli occhi attoniti del governatore e di Don Alonzo, un divertente Renato Rascel.
Inseguito dalle guardie, Figaro si nasconde nella bocca di un cannone che, sparando, lo catapulta sulla porta della sua bottega, con i battenti aperti per accoglierlo. Siccome è domenica, secondo la legge, il barbiere sarebbe ancora nei guai, ma il conte di Almaviva lo salva ancora una volta e, per desiderio della sposina, se lo porta in viaggio di nozze. Totò è esilarante, ma qualche critico gli rimprovera tutto, persino le pernacchie.

«[...] In questa opera abbiamo constatato con vero rammarico che si è sempre e costantemente al disotto di quel minimo che si esige perché un film sia accettabile [...] E re-

stiamo di questo parere anche se le sale vedranno affluire il solito pubblico, il quale da Totò accetta tutto, pernacchie comprese. Perché in questo film siamo giunti anche a questo. Et de hoc satis.»
Carlo Trabucco, «Il Popolo», Roma, 13 ottobre 1950.

«[...] *Figaro qua, Figaro là* è una buona idea malamente sprecata dalla piatta sceneggiatura che non offre un solo spunto originale a quel grande mimo che è Totò. Sommerso dal marasma generale, si difende disperatamente, con le unghie e coi denti, da vecchio lupo di palcoscenico, ma alla fine, ridotto dietro l'ultima barricata, è costretto a innalzare uno straccio bianco [...] Ma a Totò spetta quel saluto delle armi con cui si rende omaggio agli eroi sfortunati.»
Mario Landi, «Film d'oggi», Roma, 18 ottobre 1950.

SETTE ORE DI GUAI (1951)
Regia di Vittorio Metz e Marcello Marchesi

Totò interpreta Totò De Pasquale.

Guai in casa di Totò De Pasquale, neo papà: il giorno fissato per il battesimo, il figlioletto sparisce. Senza far sapere niente alla moglie per non allarmarla, Totò, accompagnato da due amici, si mette alla ricerca del figlio e lo ritrova in casa di alcuni vicini distratti che lo hanno scambiato con la loro bambina, anche lei in fasce. Il povero padre, pur di riavere il rampollo, lo rapisce, ma viene preso per un maniaco seviziatore di innocenti e rischia addirittura il linciaggio. In una serie di peripezie vissute a ritmo vorticoso come nelle comiche di Ridolini, il figlio di De Pasquale viene recuperato dalla famiglia, mentre Totò cerca di sfuggire a chi lo crede un criminale. Trafelato arriva a casa proprio mentre si sta celebrando il battesimo del bimbo. Le sette ore di guai sono finite.

«Dare all'irrequieta comicità di Totò la disciplina di un film "costruito" è come incastrare un torrente nell'alveo in muratura: schiumeggia meno, fa minor fracasso, perde un po' del suo pittoresco, ma non ristagna poi negli acquitrini e arriva a una foce [...] Totò ha modo di dare al suo personaggio la razionalità accettabile di un tipo, dopo essersi in troppi film meccanizzato nella rigidità legnosa della marionetta [...]»
Arturo Lanocita, «Il Nuovo Corriere della Sera», Milano, 4 novembre 1951.

«[...] Totò riesce ancora ad animare un congegno che scricchiola in ogni sua connessura; ma vi riesce a stento. E ci sembra che ormai l'intensità delle risate con cui il pubblico più sprovveduto e ben disposto accoglie il suo gioco comico, denunci qualche stanchezza.»
«Paese Sera», Roma, 18 novembre 1951.

TOTÒ E I RE DI ROMA (1952)
Regia di Steno e Mario Monicelli

Totò interpreta Ercole Pappalardo.

Ercole Pappalardo, archivista di un ministero, sposato con cinque figlie, vive nelle ristrettezze economiche, sperando in una promozione: un sogno destinato a rimanere tale. Una sera, infatti il pover'uomo ha la sfortuna di starnutire in faccia al suo direttore generale, il quale, investito in pieno, giura di fargliela pagare. Nel corso di una vera e propria persecuzione ai danni dell'impiegato, scopre che

non ha la licenza elementare d'obbligo per lavorare al ministero e lo costringe a sostenere gli esami ai quali Pappalardo viene bocciato.
Disperato, con l'unica prospettiva della disoccupazione, Ercole decide di suicidarsi per apparire in sogno alla moglie e darle un bel terno al lotto, ponendo così fine alla miseria. Pur di avere i numeri giusti, cerca di acquistarli al mercato nero e viene imputato per truffa. Ma il giudice, nel corso di un processo surreale, quando sa che Pappalardo è un impiegato statale, convinto che per questo abbia già patito abbastanza, lo assolve, decidendo di mandarlo subito in paradiso. Ma sul più bello l'archivista si sveglia e scopre di aver sognato. Meglio accettare la realtà, per triste che sia, che morire, sia pure per andare tra i beati.

«[...] Le situazioni sono vistosamente condite di facili spunti ispirati alla più convenzionale contingenza politica e alla parodia di un certo costume burocratico [...] Se qualche volta, tuttavia, giungono a suscitare, dopo le risa, un'ombra di emozione nel pubblico, il merito è da attribuirsi all'interpretazione di Totò che, anche senza approfondire il suo personaggio, ha saputo qua e là rivestirlo di note abbastanza patetiche.»
Gian Luigi Rondi, «Il Tempo», Roma, 19 ottobre 1952.

«[...] Il film sul finale si trascina in un artificioso surrealismo di brutta imitazione. Steno e Monicelli sono rientrati nei ranghi della produzione commerciale, standardizzata e mediocre col simpatico guitto Totò e un gruppetto di mezze figure.»
Ugo Zatterin, «Il Giornale d'Italia», Roma, 19 ottobre 1952.

TOTÒ E LE DONNE (1952)

Regia di Steno e Mario Monicelli

Totò interpreta il cavalier Filippo Scaparro.

Il cavalier Filippo Scaparro, anziano commesso in un negozio di tessuti, è un accanito misogino, convinto che le donne siano la rovina degli uomini. Per sfuggire alle beghe familiari e alle vessazioni della moglie e della figlia, Scaparro si rifugia in soffitta. Nel suo piccolo regno si dedica alla lettura dei libri gialli e prega davanti a un piccolo tabernacolo di Landru, il suo santo protettore. Nella quiete della soffitta, Scaparro ricorda i tanti episodi della sua vita in cui è stato vittima di una donna, solidarizzando col fidanzato della figlia (Peppino De Filippo), anche lui sottoposto a ogni sorta di angherie da un «bipede di sesso femminile». Scoperto dalla moglie nel suo rifugio segreto, Scaparro, rischia la rottura definitiva con la consorte insopportabile, ma poi, alla vigilia delle nozze della figlia, si riconcilia con lei. Dopo un periodo di riflessione ha capito che se le donne hanno i loro difetti, gli uomini, lui compreso, non sono angeli.

«[...] Il napoletanismo di Totò nasce dal lazzo del Pulcinella di Petito ma mostra di aver percorso anche gli spaventevoli "bassi" de "La Pelle" di Malaparte: un itinerario che oggi pochissimi comici al mondo sarebbero in grado di ricalcare. Ma sono attimi, puntatine, allusioni nel girotondo dei suoi film che si differenziano a malapena nel titolo; e nel già lungo diario di occasioni sbagliate, quella di cui ci occupiamo è per Totò una fra le più marchiane [...]»
Tino Ranieri, «Rassegna del film», Torino, febbraio 1953.

«Non è un film. È una specie di festino in famiglia tra Totò e i suoi mille e mille "tifosi". La farsa, basata sulle bat-

tute e sulle prestazioni mimiche, che fecero e fanno la popolarità del comico, vuole essere una antologia di lamentazioni sulla vita del marito e dell'uomo in generale, seviziato dal sesso "debole". È un film grossolano, ma fa ridere a crepapelle.»
Alfredo Orecchio, «Paese Sera», Roma, 28 dicembre 1952.

TOTÒ A COLORI (1952)
Regia di Steno

Totò interpreta Antonio Scannagatti.

Antonio Scannagatti, un compositore incompreso di Caianello, un paesino del Napoletano, sogna che una sua opera sia rappresentata alla Scala di Milano. Nessuno crede al suo talento, tantomeno il maestro Tiburzi, direttore della banda del paese, il quale, quando viene annunciato l'arrivo a Caianello di Joe Pellecchia, un compaesano arricchitosi in America, gli prepara un'accoglienza a suon di musica.
Colpito da paralisi, però, è costretto a cedere il passo ad Antonio, che lo sostituisce con successo.
Il progetto di ottenere una audizione dal famoso impresario Tiscordi gli appare allora più attuabile, tanto che lo raggiunge a Milano, riuscendo a entrare nel suo studio. Per una serie di equivoci, l'incontro si trasforma in uno scontro, tanto che Tiscordi insegue infuriato Scannagatti, deciso a dargli una lezione.
Per sfuggirgli, il musicista si rifugia in un teatrino di marionette, mimetizzandosi tra i burattini con una perfetta imitazione di Pinocchio. Inaspettatamente Tiscordi rimane conquistato dal talento di Scannagatti e lo valorizza anche come compositore, facendo in modo che la sua

opera venga rappresentata alla Scala di Milano.
Scannagatti ce l'ha fatta.

«Per tentare le vie del colore il cinema italiano ha fatto ricorso a Totò e dal suo repertorio di rivista ha tratto alcune macchiette che, affidate ad un unico filo conduttore, potessero dar luogo a un film spensierato. L'interesse del film, perciò, è tutto nelle virtù comiche di Totò.»
Arturo Lanocita, «Il Nuovo Corriere della Sera», Milano, 9 aprile 1952.

«Il primo lungometraggio italiano a colori avrebbe meritato cure maggiori, sia nel soggetto che nella realizzazione. E invece la trama soffre di lungaggini e in alcune situazioni di scarsa originalità e la regia punta più spesso sullo sketch che sull'azione. Tuttavia lo spettacolo c'è e richiama il pubblico, specialmente per merito dell'inimitabile e sempre bravo Totò.»
Gian Luigi Rondi, «Il Tempo», Roma, 13 aprile 1952.

IL PIÙ COMICO SPETTACOLO DEL MONDO (1953)
Regia di Mario Mattòli

Totò interpreta Tottons.

La storia di svolge in un circo e ha per protagonista il clown Tottons che non si toglie mai il pesante trucco per nascondere la sua vera identità. Infatti, ha commesso un delitto e cerca di sfuggire a un implacabile investigatore. Nella sua fuga disperata, finisce nella gabbia dei leoni e si improvvisa domatore, riuscendo con i suoi lazzi, ad ammansire le belve. L'esile trama è un pretesto per fare la parodia a un famoso film dell'epoca, *Il più bello spettacolo del mondo,* e consente a Totò una grande prova da attore, espressivo anche sotto la maschera. Quando si esibisce in abiti femminili, poi, è irresistibile: mai una vecchia, terribile signora sarà più simpatica di lui.

«[...] I fedeli di Totò (ché in questi film fatti *ad personam* la prima condizione è di apprezzare l'attore e il particolare genere di maschera che incarna) troveranno più di una occazione per esilararsi [...] Tuttavia anche i tipi lugubri come me probabilmente si divertiranno alle buffonate di Totò nella gabbia dei leoni anche se l'episodio non è portato col mordente che occorreva [...]»
Filippo Sacchi, «Epoca», Milano, 13 dicembre 1953.

«[...] Anche se la vicenda prendendo le mosse da un tentativo di parodia che si rifà, fin dal titolo, a un film americano sulla vita del circo, finisce con l'essere soltanto una sbiadita antologia dei più famosi numeri delle riviste di Totò, il pubblico che ha eletto il comico napoletano a proprio beniamino, ride, comunque, si diverte, applaude. Che desiderate di più? [...]»
«Il Tempo», Roma, 5 dicembre 1953.

UNA DI QUELLE (1953)
Regia di Aldo Fabrizi

Totò interpreta Rocco.

Rocco e Martino, due provinciali in cerca di avventure galanti, giungono a Roma e, in un night club equivoco, cercano ragazze facili. A un tavolo è seduta Maria (Lea Padovani), una giovane vedova con un figlio a carico che, rimasta a corto di denaro, per la prima volta nella sua vita si è decisa a prostituirsi. Rocco si fa avanti non sospettando di avere a che fare con una onesta signora e da quel momento incominciano i suoi guai. Mentre Martino (Peppino De Filippo), sotto una pioggia torrenziale, lo aspetta sdraiato su di una panchina, lui, in casa di Maria, è sicuro di arrivare, come si suol dire al sodo. Ma rimane deluso per un drammatico imprevisto. Il figlio della vedova si sente male e il medico diagnostica una grave forma di difterite. Rocco si intenerisce e, da aspirante playboy, si trasforma in un amico affettuoso, pronto a correre in farmacia per procurarsi le medicine. Dopo una notte di angoscia che Rocco vive accanto a Maria, il bambino migliora, ma le ore trascorse al suo capezzale, hanno lasciato un segno. Nel salutare Maria, infatti, Rocco trova il modo di dirle che a casa sua, in un tranquillo paese di campagna, c'è posto per lei e per il figlio. Da un mancato incontro mercenario, forse, grazie alla solidarietà, è nato un vero amore.

«Aldo Fabrizi ha raccontato questa patetica storia con circostanziata prolissità alternando le note sentimentali a quelle comiche e cercando soprattutto di sfruttare le risorse di una facile commozione e di un compiacente ottimismo. Totò e Peppino De Filippo sono i due provinciali e i loro duetti sono assai divertenti [...]»
Ermanno Contini, «Il Messaggero», Roma, 9 ottobre 1953.

«[...] Totò ha spremuto dal personaggio ogni minima occasione per costruire una figura non labile, la cui comicità si colora di una vena crepuscolare, la quale può valere, ancora una volta, di indice delle enormi possibilità, pur sempre vergini, di questo straordinario commediante [...]»
Giulio Cesare Castello, «Cinema», Milano, 15 novembre 1953.

IL MEDICO DEI PAZZI (1954)

Regia di Mario Mattòli

Totò è Felice Sciosciammocca.

Il film, tratto da una farsa di Scarpetta del 1908, racconta l'avventura di Felice Sciosciammocca, sindaco di Roccasecca, alle prese con un nipote scapestrato, Ciccillo (Aldo Giuffré). Il giovane, che fa lo psichiatra a Napoli, spilla denaro allo zio, dandogli a bere di essere il direttore di una clinica neurologica, mentre in realtà si dà alla bella vita, ospite della Pensione Stella. La verità rischia di venire a galla quando Felice Sciosciammocca, insieme alla moglie e alla figlia adottiva, innamorata del nipote, arriva a Napoli per controllare la situazione. A quel punto Ciccillo non ha scelta e, per non perdere la stima e i soldi dello zio, finge che la pensione sia un manicomio. Il sindaco vuole visitarlo e tratta i clienti come se fossero malati di mente, con le conseguenze che ognuno può immaginare.
Alla fine, naturalmente, tutto viene chiarito: lo zio perdona e il nipote mette la testa a posto, tornando a Roccasecca, dove, lontano dalle tentazioni della grande città, sposerà la graziosa cugina.

«La stagione di Totò è passata, siamo al tramonto. Insisti e insisti le mosse del principe comico non ottengono più l'effetto di un tempo. Il pubblico di ieri sera ha riso solo due o tre volte, ha protestato anche: è troppo, c'è un limite a tutto. Si può andare anche al cinema per trascorrere due ore liete, per dimenticare i propri guai, ma si approfitta di questa debolezza, al punto che, promettendovi quattro franche risate, non si esita, una volta sborsato il prezzo del biglietto, ad offendervi, somministrandovi solo quattro bestialità [...]»
Mario Gallo, «L'Avanti», Roma, 13 novembre 1954.

«È veramente doloroso constatare come la comicità di certi film italiani sia ancora legata a sorpassati schemi appartenuti al più infimo teatro di avanspettacolo, basata com'è sugli effetti scenici provocati dagli equivoci e sull'ambiguità dialogica di pretto stampo macchiettistico [...] Totò sfoggia come il solito i tipici atteggiamenti del suo repertorio mimico [...]»
«La Voce Repubblicana», Roma, 14 novembre 1954.

TOTÒ CERCA PACE (1954)
Regia di Mario Mattòli

Totò interpreta Gennaro Piselli.

Gennaro Piselli, vedovo e senza figli, si reca spesso a visitare la tomba della moglie e al cimitero conosce una distinta signora (Ave Ninchi), vedova anche lei. I due, nonostante l'età non più verdissima, si sposano, suscitando le ire dei legittimi eredi. I parenti terribili, per questioni di vile interesse, fanno il possibile per seminare zizzania tra gli sposi, che litigano furiosamente. Fino a quando decidono di spiegarsi e di basare la loro unione sulla fiducia reciproca. E vivono così felici e contenti.

«È difficile per Totò sfuggire ai gesti e alle battute che l'hanno reso simpaticamente noto nella rivista; e forse per questo egli è capace di non far naufragare un film che riposi unicamente sulle sue spalle. Contando sulla sua vena, che, pur stracca dall'uso, riesce a zampillare ogni tanto, il regista Mario Mattòli ha girato uno spettacolo di puro divertimento con una vicenda farsesca che basa la sua comicità sulle nozze di due vedovi attempati [...]»
Dario Ortolani, «Nuova Gazzetta del Popolo», Torino, 18 dicembre 1954.

«[...] La recitazione dei due protagonsti è attenta, garbata, umana; ma un copione assai insipido e privo di fantasia impedisce loro di essere veramente divertenti, tranne in qualche scena [...]»
«Il Messaggero», Roma, 8 gennaio 1954.

TEMPI NOSTRI (1954)
Regia di Alessandro Blasetti

Totò interpreta il fotografo.

Il film è articolato in vari episodi: «Scena all'aperto», «Il pupo», «Mara», «Gli innamorati», «Don Corradino», «Casa d'altri», «Scusi ma...», «Il bacio», tratti da altrettanti racconti di Marino Moretti, Alberto Moravia, Vasco Pratolini, Achille Campanile, Ercole Patti, Silvio D'Arzo, Anton Germano Rossi e Giuseppe Marotta. Totò è il protagonista di una specie di comica finale intitolata *La macchina fotografica,* accanto a una giovanissima Sofia Loren. Si tratta di un breve incontro tra un fotografo che si atteggia a gagà e una bella aspirante attrice, ansiosa di affermarsi nel mondo del cinema. Lui l'avvicina con la scusa di farle una fotografia con una macchina vinta a una lotteria e la corteggia goffamente, lei forse ci sta e forse no. La storia è appenna accennata, quasi inesistente, ma Totò, ispirato da Sofia, ne fa il ritratto irresistibile di un playboy da strapazzo che, però, non piace alla critica.

«[...] *La macchina fotografica,* breve sketch sensuale con Totò e Sofia Loren è la parte meno riuscita del film che si alza nelle storie serie e cade in quelle comiche [...]»
Alberto Moravia, «L'Europeo», Milano, 4 aprile 1954.

«[...] Totò e Sofia Loren, comicità e sesso [...] Disperata-

mente aggrappati alla coda del film si agitano come naufraghi e danno un senso di pena perché non si può in alcun modo soccorrerli [...]»
Luigi Chiarini, «Il Contemporaneo», Roma, 14 maggio 1954.

I TRE LADRI (1954)

Regia di Lionello De Felice

Totò interpreta Tapioca.

Tapioca è un modesto ladruncolo dal buon cuore, coinvolto in un'avventura più grande di lui. Un giorno entra in un appartamento di lusso per uno dei soliti furtarelli e viene scoperto dai padroni di casa, un ricco industriale (Gino Bramieri) e la sua giovane moglie. Contemporaneamente un altro ladro, questa volta di alto bordo, Gastone, ricatta la signora carpendole dieci milioni in cambio di un pacco di lettere d'amore compromettenti. L'industriale crede che la somma sia finita nelle tasche di Tapioca e lo fa arrestare. Quando però la sua azienda va in crisi, nell'assoluta necessità di recuperare i dieci milioni, supplica Tapioca di restituirglieli. Per ingraziarselo arriva ad assicurargli in prigione una vita da nababbo, in cui i secondini fungono da maggiordomi. In breve il ladro diventa una celebrità e, per conservarsi la sua fetta di successo, al processo si confessa autore del furto. Ma Gastone ne rivendica la paternità e lancia in aula una manciata di banconote che i presenti cercano affannosamente di afferrare. A quel punto Tapioca ha un'idea: insieme all'industriale e ai suoi rispettabili amici, fonderà una società per lo sfruttamento delle lettere d'amore perdute. Con tutti gli adulteri che ci sono in giro, la ricchezza è assicurata.

«[...] Una satira, o meglio una farsa, senza molte pretese e senza troppo sale. La ravvivano, qua e là, alcune battute saporite e qualche situazione poco peregrina. E la ravviva, naturalmente, l'interpretazione di Totò, tutta lazzi, smorfie, sberleffi, nelle vesti del ladro millantatore [...] La regia tenta qua e là cadenze di balletto: sovente con piacevole brio.»
Gian Luigi Rondi, «Il Tempo», Roma, 6 ottobre 1954.

«Al genere dichiaratamente farsesco, basato quasi unicamente su un Totò privo di inventiva e di freni e che, stancamente, ripete il modulo delle sue macchiette e non ancora di un personaggio, appartiene il filmetto dove qualche spunto comico si fa luce specie all'inizio e qualche velleità satirica è ben presto sopraffatta dall'arruffio della vicenda che ha più di un certo avanspettacolo che di cinematografia.»
«Nuova Gazzetta del Popolo», Torino, 28 settembre 1954.

SIAMO UOMINI O CAPORALI? (1955)

Regia di Camillo Mastrocinque

Totò interpreta Totò Esposito.

Totò Esposito è un poveraccio che cerca lavoro come comparsa a Cinecittà, umiliato e offeso dal prepotente "capocomparse", un magnifico Paolo Stoppa, sprezzante e antipatico al punto da giustificare una crisi di nervi di Esposito, che finisce in manicomio. Rincuorato dal dottore che lo visita per accertare le sue condizioni mentali, Totò gli espone la sua filosofia che divide l'umanità in uomini e caporali e cioè le persone per bene e i mascalzoni. Per spiegare meglio le sue convinzioni, ripercorre in una serie di ricordi le tappe essenziali della sua misera esistenza, in un mosaico di episodi frustranti, da quello del direttore del campo di concentramento che lo vorrebbe fucilare, all'ufficiale americano che gli insidia la fidanzata, dal giornalista disonesto che gli fa firmare con l'inganno un falso memoriale, all'industriale vanesio che sposa la fidanzata, sfuggita a stento dalle grinfie dell'ufficiale americano. Il dottore, dopo aver ascoltato il suo paziente, si convince che non è matto, ma solo sfortunato e soprattutto troppo buono per fronteggiare i truci caporali.

«La celebrità, talvolta, fa perdere il senso delle proporzioni. Solo con questa considerazione si può spiegare la mania di Totò di voler esporre una sua filastrocca della vita. *Siamo uomini o caporali?* è uguale a tanti altri film di Totò, con l'aggravante del tema ambizioso sfruttato in maniera sbagliata.»
«Cinema Nuovo», Milano, 10 ottobre 1955.

«Il pubblico si è trovato di fronte a una opericciola con gusto e bonario compiacimento ironico-satirico, senza gravi cedimenti, ma anzi congegnata su una serie di trovatine, se pure non eccessivamente originali, tuttavia sufficientemente estrose e piacevoli. Alle facili battute del dialogo il pubblico ride e si diverte, non dimenticando, nel suo spasso, l'interpretazione gustosa e sapida del suo beniamino Totò.»
«La Voce Repubblicana», Roma, 4 settembre 1955.

DESTINAZIONE PIOVAROLO (1955)
Regia di Domenico Paolella

Totò interpreta Antonio La Quaglia.

Il capostazione Antonio La Quaglia, in seguito a una sospirata promozione, viene mandato a Piovarolo, un paese dove piove continuamente. La sua vita è monotona fino a essere insopportabile. La stazione è frequentata da un solo accelerato e le serate non passano mai. In pieno regime fascista, che avversa profondamente, La Quaglia sposa una maestra della quale ignora le origini ebraiche e ha una figlia, Mariuccia, che sogna di fare l'attrice per sfuggire alla noia di Piovarolo. Pur di farla contenta, il padre cerca disperatamente una raccomandazione per trasferirsi in un'altra stazione ferroviaria e crede di esserci riuscito quando, a bordo di un treno da lui fermato a causa di una frana, incontra un onorevole. Ma il suo è solo un sogno, la frana si rivela inesistente e l'onorevole, lungi dal considerarlo il suo salvatore, sobillato da un segretario antipatico, gli fa addirittura un rapporto negativo. Per La Quaglia non c'è scampo: è condannato a rimanere a Piovarolo.

«La presa in giro ottiene, per noi italiani, i più sicuri effetti di critica e il film sollecita i consensi appunto attraverso la caricatura. Il copione è stato eliminato con sapide trovatine che il regista ha adeguatamente tradotto in immagini. Totò colorisce in burlesco il personaggio del capostazione, prestandogli alcuni tocchi del suo repertorio abituale; rinunziando a molti di essi, però, è risultato più umano, dimostrando la sua attitudine a trasformarsi da marionetta in essere umano.»
Maurizio Liverani, «Paese Sera», Roma, 18 dicembre 1955.

«[...] Il soggetto del film, appositamente elaborato per l'interpretazione di Totò, pur rinunziando a troppo facili effetti comici, ricalca situazioni già ampiamente sfruttate, senza rinunciare ad un pizzico di spirito qualunquistico che aleggia in alcune parti. Totò si dimostra ottimo e misurato attore [...]»
«L'Unità», Roma, 17 dicembre 1955.

TOTÒ ALL'INFERNO (1955)

Regia di Camillo Mastrocinque

Totò interpreta Antonio Marchi.

Antonio Marchi, un ladruncolo depresso, tenta più volte il suicidio senza successo, finché annega accidentalmente in un fiume e si ritrova all'inferno. Tra diavoli e peccatori di ogni tipo incontra anche Cleopatra che gli dimostra la sua simpatia suscitando la gelosia di Satana. Quest'ultimo, che non tollera rivali, lo rispedisce sulla terra, per poi ripensarci e farlo catturare da un drappello di diavoletti. Antonio viene quindi giudicato da un tribunale infernale, che lo ritiene colpevole di una serie di peccati commessi da vivo, compreso l'adulterio con una provocante vicina di casa. La condanna è ormai certa, anche a causa di un incompetente difensore d'ufficio, la buon'anima di un ladro, quando Antonio si sveglia nel suo letto: l'avventura all'inferno è stata solo un sogno.

«Una didascalia avverte che il film si svolge tra realtà e surrealismo. E Totò, che è anche autore del soggetto, si è preoccupato di imbastire qualcosa che aderisse alla sua maschera più tipica, quella che, in fondo, è più popolare e gradita al pubblico: la maschera di un Totò spettrale e funambolesco che storcendo il collo, o contorcendosi come se fosse fatto di più pezzi, ha lo straordinario potere di far ridere come nessun altro attore comico lo ha. Sotto questo aspetto il film riesce nel suo scopo [...]»
Vittorio Ricciuti, «Il Mattino», Napoli, 18 marzo 1955.

«[...] Questa farsa si giustifica soltanto con il favore che gode presso il pubblico il popolare mimo, il quale qui dispiega tutte le risorse del suo repertorio comico, costituito da ridolinate, fumisterie, battute e situazioni non sempre ine-

dite, alcune delle quali ancora capaci di strappare qualche risata, all'insaputa della noia [...]»
Maurizio Liverani, «Paese Sera», Roma, 28 maggio 1955.

GLI AMANTI LATINI (1955)
Regia di Mario Costa (quarto episodio)

Totò interpreta il ragionier Antonio Sgargiulo.

Il ragionier Antonio Sgargiulo, fingendosi in punto di morte, riesce a estorcere ai colleghi d'ufficio una colletta di due milioni che gli consentono di trascorrere una vacanza in Costa Azzurra in compagnia di una bella donna. Come dire un calcio alla *routine* per ritrovare la gioia di vivere mentre tutti lo danno per defunto.
Nel film, ricoprendo di banconote il corpo nudo dell'amante, Totò, in chiave satirica e pudìca, naturalmente, rifà il verso a una famosa scena di un altro film tratto da un romanzo di Alberto Moravia *La noia* e commenta: «E c'è chi in simili situazioni dice di annoiarsi! Che razza di gioventù!».

«[...] È il solito filmetto intessuto di belle ragazze [...] Il compito di risollevare le sorti della pellicola se lo assumono Totò e Gisella Sofio: e in verità, alcune battute sono, se non proprio da antologia dell'umorismo, almeno originali.»
«Corriere d'Informazione», Milano, 11 settembre 1955.

«[...] È vero che gli sceneggiatori di *Amanti Latini* hanno cercato di rinforzare la loro anemica brodaglia con qualche frecciatina suggerita dall'attualità. Proposito lodevole ma non sufficiente. Con un po' di buona volontà si può sal-

vare tuttavia il pezzo affidato a Totò, nutrito, se non altro, di humus impiegatizio, nella tradizione di Courteline [...]»
«Il Giorno», Milano, 11 settembre 1955.

LA BANDA DEGLI ONESTI (1956)
Regia di Camillo Mastrocinque

Totò interpreta Antonio Bonocore.

Antonio Bonocore, portinaio di un casermone suburbano, riceve in eredità da un anziano inquilino un cliché per le banconote da diecimila lire e una risma di carta filigranata. Il poveruomo, che sta per perdere il posto di lavoro, promette di gettare via il tutto, ma poi, alla prospettiva di un futuro pieno di stenti, ci ripensa e decide di diventare un falsario. Per riuscirci si associa a Giuseppe Lo Turco, un tipografo senza una lira (Peppino De Filippo) e a un modesto pittore, anche lui in difficoltà finanziarie (Giacomo Furia). Il piano riesce alla perfezione, ma i tre falsari sono troppo onesti per spendere il denaro falso. Antonio Bonocore, per di più, ha un figlio che fa la guardia di finanza e non può sopportare l'idea di nuocere al suo ragazzo. Meglio una vita povera ma pulita: i tre arrivano a questa conclusione e, per non avere la benché minima tentazione, bruciano i soldi fabbricati a costo di tanti rischi. Antonio è il più sfortunato, perché, nella confusione, brucia nel falò anche il suo misero stipendio. Tutto ha un prezzo, anche l'onestà.

«[...] Un corpo da funambolo, anzi da fachiro, a tratti disanimato, cadaverico, e a tratti invaso dalle furie, scattante, volante. L'inerzia e il moto, pietre e vento, nel medesimo tempo. Gli arti indipendenti, liberi, dissociati, un braccio o una gamba di Totò è un individuo nell'individuo, un atto-

re nell'attore. Il collo a segmenti, a cannocchiale [...] E infine (Muse napoletane aiutatemi) un volto senza parentele, indefinibile, astruso, un mondo chimerico di fronte occhi naso bocca zigomi, anomali, buffi e terrifici, che agghiaccia e rapisce, che stimola al riso e, contemporaneamente, a non so che umana solidarietà e partecipazione. Mi fa ridere e sospirare la mascella deragliata di Totò. Egli, tanto se avesse dato retta ai suoi connotati surreali (affrancandosi da ogni coerenza), quanto se li avesse gettati a contrasto nel reale, nei malinconici avvenimenti di ogni giorno, sarebbe stato un pozzo di finissima allegria cinematografica. Ma, debbo ripeterlo, Totò non ha intelligenza di sé, non vive con Totò. Non si è mai cercato o indovinato, mai. Ha trasferito per vent'anni sullo schermo, il Totò del Varietà [...] È amico o nemico dell'arte sua l'ineguagliabile Totò?»
Giuseppe Marotta, «L'Europeo», Milano, 7 aprile 1956.

TOTÒ, PEPPINO E I FUORILEGGE (1956)
Regia di Camillo Mastrocinque

Totò interpreta Antonio.

È la storia di un poveruomo vittima della moglie avara e petulante, il quale, con la complicità di un amico barbiere (Peppino De Filippo), finge di essere rapito per estorcere alla consorte il prezzo del riscatto. Ci riesce e col ricavato va a Roma per darsi alla pazza gioia insieme al complice. Ma la moglie scopre l'inganno e, furibonda, si rifiuta di pagare altri soldi quando il marito viene veramente rapito da una banda di malfattori. A salvare Antonio interviene la figlia insieme al fidanzato, ma la moglie terribile non perdona e lo caccia di casa, intimandogli di "farsi una posizione". Antonio ci prova lavorando, nonostante l'età matura, come "ragazzo spazzola" nella bottega dell'amico barbiere. Come dire, l'arte dell'arrangiarsi.

«[...] La farsetta recitata con spontaneità e immediatezza da Peppino De Filippo e da Totò, è priva delle grossolanità licenziose che spesso volgarizzano questo genere di film, scorre senza cigolii fino alla fine...»
Arturo Lanocita, «Corriere della Sera», Milano, 6 gennaio 1957.

«[...] Che cosa potrebbero fare insieme Totò e Peppino se un produttore intelligente spendesse qualche milione in più per la stesura di una sceneggiatura scritta col cervello invece che coi piedi? Comunque, un duetto tra Totò e Peppino vale sempre la spesa del biglietto [...]»
Morando Morandini, «La Notte», Milano, 7 gennaio 1957.

TOTÒ, VITTORIO E LA DOTTORESSA (1957)
Regia di Camillo Mastrocinque

Totò interpreta l'investigatore Michele Spillone, detto Mike.

Un avvocato napoletano sposa una bella dottoressa americana (Abbe Lane), mettendo in allarme le due anziane zie, diffidenti nei confronti della nipote acquisita. La situazione in famiglia è talmente tesa che la giovane signora decide di esercitare di nascosto la sua professione, certamente disapprovata dalle zie retrogade. Le due vecchiette però non disarmano e, insospettite dai continui appuntamenti della dottoressa, si convincono che tradisca il marito e, per coglierla in flagrante adulterio, si rivolgono a una scalcinatissimo investigatore privato. Totò, che fa la parodia di un detective all'americana, è assistito da un socio pasticcione e da un cagnolino di nome Alifax. Nei suoi pedinamenti scambia i pazienti della dottoressa per amanti occasionali, in una serie di equivoci in cui è coinvolto anche un irresistibile Vittorio De Sica, nei panni di un paziente sedotto dalle grazie della dottoressa. Alla fine la verità viene a galla: il matrimonio è salvo, le zie si convincono che la moglie del nipote è una donna onesta, mentre l'investigatore si presume che continuerà a combinare guai.

«Rieccoci al film comico con Totò. Benvenuto Totò, ci hai fatto ridere, ci hai divertito. Rivederti nei panni del poliziotto è stato un vero piacere. Ad majora, dunque. Ma il film, scusaci, Totò, se usiamo una vecchia battuta di commento è "una vera schifezza". Una di quelle schifezze che piacciono al pubblico e, modestia a parte, anche a noi [...] Il film, dunque, è quello che è, difettoso, svagato, comico, paradossale, senza capo né coda, ma, comunque divertente [...]»
Franco Maria Pranzo, «Corriere Lombardo», Milano, 3 febbraio 1958.

«[...] Il nostro compito di recensori sarà assolto esimendoci da ogni approfondito esame di carattere storico-estetico-sociologico. Questa farsetta è palesemente destinata anche al mercato spagnolo dove, come è noto, in fatto di film stanno peggio di noi.»
Morando Morandini, «La Notte», Milano, 3 febbraio 1958.

TOTÒ, PEPPINO E LE FANATICHE (1958)
Regia di Mario Mattòli

Totò interpreta il cavaliere Antonio Vignarello.

Il cavaliere Vignarello e il ragionier Caprioli (Peppino De Filippo), finiti in manicomio, raccontano le peripezie familiari che li hanno portati alla follia. E rivivono, confessandosi con lo psichiatra, le angherie subite dalla moglie e dalle figlie, le fanatiche, appunto. Sono stati costretti ad acquistare costosi elettrodomestici, a fare il camping, ad assistere ad insopportabili spettacoli di beneficienza, rinunciando forzatamente alla loro personalità. Il film, insomma, è una antologia dei guai del matrimonio e dello strapotere delle mogli sui mariti troppo arrendevoli. Il medico, alla fine, comprende le ragioni dei due poveretti e interna i parenti terribili, colpevoli di non aver rispettato i congiunti. Finalmente liberi dal giogo familiare, Vignarello e Caprioli si godono la solitudine in un piacevole intermezzo di tranquillità.

«[...] *Totò, Peppino e le fanatiche* comunque, non è peggiore degli altri film della lunga serie, quattro risate le fa fare e il resto non conta. Nel resto sono compresi l'insipienza del soggetto, la pochezza della sceneggiatura, la scarsa fantasia del regista [...]»
«Corriere d'Informazione», Milano, 23 agosto 1958.

«[...] Soltanto la vena dei due comici (che peccato vederli scadere così giorno per giorno dalla simpatia del pubblico) riesce a strappare qualche risata. Gli altri interpreti sbraitano nei vari dialetti della penisola assordando gli spettatori [...]»
«Corriere Lombardo», Milano, 23 agosto 1958.

GAMBE D'ORO (1958)
Regia di Turi Vasile

Totò interpreta il barone Fontana.

Il barone Fontana, esportatore di vini, è il proprietario della squadra di calcio di Cerignola, alla quale lesina il

danaro con irritante avarizia. A renderlo intrattabile contribuisce il fidanzamento della figlia con uno dei calciatori, Aldo, colpevole ai suoi occhi di non essere un buon partito. Ma le cose cambiano totalmente quando un ricco industriale milanese, vedendo giocare il mancato genero di Fontana, manifesta l'intenzione di acquistarlo allo scopo di fare di lui un campione.
A convincere il barone a cambiare idea sul pretendente della figlia contribuisce anche il nobile gesto di Aldo, il quale, dopo aver portato la squadra a una memorabile vittoria contro la nazionale azzurra giunta a Cerignola per allenarsi, rinuncia a un vantaggioso ingaggio, dando al barone una prova di fedeltà che va premiata.
Infatti ottiene la sua benedizione per le sospirate nozze, mentre Fontana si impegna a essere meno avaro con la sua piccola squadra.

«È un film di Totò, ma con poco Totò. Conseguentemente anche il divertimento del pubblico diminuisce. Non è più come una volta, quando il comico napoletano era presente dal principio alla fine: oggi il suo nome è preceduto sui titoli di presentazione dalla frase "con la partecipazione straordinaria di Totò". Peccato, perché il suo humor, da quel non molto che si vede, è ancora quello di una volta, capace di entusiasmare l'intera platea [...]»
«Corriere Lombardo», Milano, 28 agosto 1958.

«[...] È un film noioso, questo, nonostante la presenza di Totò, il che è un bel risultato [...]»
«La Notte», Milano, 28 agosto 1958.

TOTÒ E MARCELLINO (1958)

Regia di Antonio Musu

Totò interpreta il Professore.

Il film racconta la tenera storia di un orfano, Marcellino, e di un ladro, detto il Professore. I due si conoscono durante i funerali della mamma del povero bambino e imparano a volersi bene. Insieme formano una specie di famiglia, andando a vivere nella casa che Marcellino ha ereditato, ma i parenti del ragazzino, contestano il ladro dal cuore d'oro, il quale, in un primo momento, si era spacciato per lo zio del bimbo. Scacciato in nome della legge il Professore fa fatica a dimenticare Marcellino al quale ormai si è affezionato e, cercando di rivederlo, scopre che è prigioniero del vero zio, un losco figuro il quale lo costringe a chiedere l'elemosina insieme a un gruppetto di coetanei, anch'essi senza famiglia. Il ladro gentiluomo denuncia il malfattore e riesce a farlo arrestare, ma Marcellino è profondamente segnato dalla brutta avventura. Convinto che comportandosi male potrà raggiungere la mamma, la quale, secondo le malignità di un'altra parente terribile, sarebbe finita all'inferno, il bambino ne combina di tutti i colori, esasperato dalla mancanza d'affetto. Ma il Professore gli vuole molto bene e quando il bambino lo capisce, riacquista la serenità.

«[...] L'idea di mettere insieme un comico e un ragazzino che irradia simpatia è sempre stata vantaggiosa, sin dai tempi del *Monello* [...] Il lavoro ha qualche pretesa: cerca di ricreare una certa atmosfera dickensiana intrisa di spirito deamicisiano. In bilico tra favola e cronaca, come in certe opere di Zavattini, ha qualche trovatina efficace, qualche battuta azzeccata che raddrizzano, qua e là, il racconto affogato nella marmellata sentimentale. Totò trova più di uno spunto per essere divertente [...]»
Maurizio Liverani, «Paese Sera», Roma, 28-29 aprile 1958.

«[...] E una eguale misura avvolge i due interpreti, il grande e il piccolo; specialmente Totò ora che la sua fortuna commerciale è in declino, sembra aver trovato discrezione, finezza, controllo.»
Leo Pestelli, «La Nuova Stampa», Torino, 30 aprile 1958.

TOTÒ NELLA LUNA (1958)
Regia di Steno

Totò interpreta Pasquale Belafronte.

Il piccolo editore di una rivista per soli uomini perseguita il fattorino Achille (Ugo Tognazzi), colpevole di essere povero e, per di più, di corteggiare sua figlia. Si ricrede quando il giovane scrive un romanzo di fantascienza che sembra interessare gli editori americani. Ma si tratta di un equivoco. In realtà Achille ha nel sangue il blumonio, una sostanza rarissima che lo rende particolarmente adatto ai voli spaziali e per questo viene circuito da un gruppo di scienziati i quali, per agganciarlo, fingono di interessarsi ai suoi romanzi. Se andasse sulla luna Achille diventerebbe ricchissimo, ma rifiuta la proposta per restare accanto alla fidanzata, mentre l'avido Pasquale lo esorta ad accettare. A questo punto si intromette una potenza sconosciuta che costruisce i replicanti di Pasquale e di Achille, ma per un errore, mentre il genero torna sulla terra, Belafronte si ritrova astronauta suo malgrado. Tuttavia, la luna non è brutta come temeva, soprattutto quando incontra una bella donna pronta a rallegrare la sua permanenza nello spazio.

«[...] Non poteva mancare una parodia dei film di fantascienza [...] Naturalmente i risultati sono inferiori alle possibilità (ma che volete voi da Steno?), ma Totò riuscirebbe a trovare materia comica persino nell'orario ferroviario:

basterebbe vederlo nella tirata contro i missili o in certi duetti con Tognazzi, responsabile di un riuscito lavoro di "spalla", per poter dire di non aver sciupato la serata [...]»
Valentino De Carlo, «La Notte», Milano, 19 dicembre 1958.

«[...] L'ingenuità del copione è volutamente palese. Gli autori essendosi accontentati di dare la stoffa a Totò e a Ugo Tognazzi, che dal canto loro si prodigano nel loro repertorio in duetti abbastanza saporiti [...]»
Leo Pestelli, «La Stampa», Torino, 29 novembre 1958.

TOTÒ A PARIGI (1958)

Regia di Camillo Mastrocinque

Totò interpreta il marchese Gastone di Chemantel Chateau-Boiron e il vagabondo Totò.

Il vagabondo Totò, un puro che abita in una strana casa costruita alla meglio su un albero, viene coinvolto in una grossa truffa. Sosia perfetto del marchese Gastone di Chemantel, Totò, trasferitosi a Parigi, dovrà sostituire il nobiluomo, fingersi morto e consentirgli così di intascare i soldi dell'assicurazione. Tra i complici del marchese c'è anche una brava persona, il dottor Duclos, che ha accettato un affare disonesto solo perché ricattato e alla fine ha pietà del povero Totò, innocente e visibilmente frastornato dall'ambiente lussuoso a cui non è avvezzo. Il piano fallisce per una crisi di coscienza di Duclos e il vagabondo, dopo la grande avventura, se ne torna sul suo albero a Roma: la parentesi parigina per lui rimarrà un sogno breve, e, tutto sommato, piacevole.

«[...] *Totò a Parigi*, raffazzonato da Camillo Mastrocinque, è uno dei film più scadenti del nostro comico che, a dire la verità, ne ha parecchi sulla coscienza [...] Totò che vive su-

gli alberi, che parla francese, o che fa Hitler al museo delle figure di cera, strappa, qualche risata di passaggio [...]»
Ugo Casiraghi, «L'Unità», Milano, 4 novembre 1958.

«Prendete Totò: il successo di un film è assicurato per il novanta per cento [...] Totò, nonostante il passare degli anni, è sempre lui. Basta che si muova sullo schermo per suscitare ilarità a non finire [...]»
«Corriere Lombardo», Milano, 24 ottobre 1958.

I TARTASSATI (1959)
Regia di Steno

Totò interpreta il cavalier Torquato Pezzella.

La storia è imperniata sulle traversie di un contribuente, il cavalier Torquato Pezzella, titolare di un avviato negozio di abbigliamento, deciso a evadere il fisco con l'aiuto di un commercialista truffaldino. Cerca quindi di corrompere il maresciallo Topponi (Aldo Fabrizi), incaricato di svolgere un accertamento fiscale sul suo conto. Ma trova un osso duro, perché il maresciallo è incorruttibile e non cede ad alcuna lusinga, nemmeno quando scopre che il figlio è innamorato della graziosa figlia di Pezzella. Alla fine Topponi riesce a raccogliere numerose prove contro Torquato, il quale, però, con grande furbizia, gli ruba l'incartamento, mettendo a rischio l'onorata carriera del maresciallo. Il tartassato, insomma, ce l'avrebbe fatta a frodare il fisco se, influenzato da un prete, non avesse un ripensamento. Infatti, restituisce i documenti a Topponi e, sia pure con la morte nel cuore, si prepara a pagare una salatissima multa. Intanto tra lui e il maresciallo, futuri consuoceri, è nata una buona amicizia, che costituisce, nonostante tutto, un lieto fine.

«[...] Il film non manca al suo proposito principale: divertire il pubblico con una commedia buffa, ispirata al tema sempre attuale delle tasse [...] Il ricorso a due comici di grosso calibro, Totò e Aldo Fabrizi, ha assicurato lo spettacolo che, se non sempre fine, scorre però sempre vivace e divertente [...]»
Leo Pestelli, «La Stampa», Torino, 17 aprile 1959.

«[...] Il film ha contenuti decorosi, senza correre alla volgarità che così spesso deturpa soprattutto i nostri film di pretese comiche. Sorretto e salvato dal mestiere antico e furbesco dei due protagonisti, che hanno tanta esperienza da tenere in piedi, da soli, sceneggiatura e regia di dieci opere equivalenti.»
Claudio G. Fava, «Corriere Mercantile», Genova, 23 aprile 1959.

ARRANGIATEVI! (1959)
Regia di Mauro Bolognini

Totò interpreta il nonno Illuminato.

Non c'è pace in casa Armentano. Il capofamiglia, un modesto callista (Peppino De Filippo), non riesce ad assicurare alla moglie e ai figli un alloggio decente e per questo si sente in colpa, tra le continue recriminazioni dei congiunti, costretti a convivere con una prolifica coppia di profughi istriani, in una confusione insopportabile. Il callista, umiliato per aver dovuto accettare un aiuto economico dal fidanzato della figlia, su consiglio di un imbroglione, punta la somma sul cavallo sbagliato e perde tutto. Non ha altra scelta, quindi, che prendere un appartamento in affitto, offertogli a un prezzo irrisorio, in quanto è una ex casa di tolleranza. La famiglia Armentano al completo si trasferisce nella nuova dimora, dove, come si può immaginare, nascono una serie di spiacevoli equivoci, fino a quando la verità viene a galla, tra l'imbarazzo generale. L'unico a non farsi troppi problemi è nonno Illuminato, nostalgico delle battaglie giovanili combattute tra quelle che sono diventate adesso le pareti domestiche. Ma alla fine l'onestà prescinde dall'ambiente che la circonda e la famiglia Armentano trova una giusta dimensione, liberandosi, per di più, di quei noiosi puritani i quali, incapaci di discernere i veri valori della vita, li avevano aspramente criticati.

«[...] C'è un Totò in gran forma, all'altezza dei suoi giorni migliori [...] In mano a un altro *Arrangiatevi!* sarebbe diventata una farsa da caserma o un comizio. Bolognini ha saputo tenere in pugno il film facendone una commedia di costume molto seria e, nonostante l'argomento, civile [...]»
Morando Morandini, «La Notte», Milano, 3 ottobre 1959.

«[...] È un film d'argomento grasso che soltanto la regia del bravo Bolognini riesce a non far scivolare quasi mai nel cattivo gusto [...] Non tutte le gag di questo divertissement boccaccesco sono di prima mano, ma nel complesso il film è arguto e gradevole. Gli attori sono bravi. Totò e un nonno da Oscar [...]»
Pietro Bianchi, «Il Giorno», Milano, 3 ottobre 1959.

TOTÒ, EVA E IL PENNELLO PROIBITO (1959)
Regia di Steno

Totò interpreta Totò Scorcelletti.

Totò Scorcelletti, un pittore specializzato nelle copie di quadri celebri, viene coinvolto in un imbroglio. Convocato in Spagna da un malfattore appena uscito dalla galera, Raoul La Spada, è invitato, dietro un modesto compenso, a dipingere una copia della Maja desnuda di Goya con l'aggiunta di una camicia allo scopo di spacciarla per un inedito del grande pittore. Scorcelletti esita, ma a convincerlo ci pensa la bellissima Eva (Abbe Lane), complice di Raoul. La truffa riesce, tanto che una miliardaria americana acquista il dipinto per una grossa cifra, ma quando Totò si accorge di essere stato turlupinato, svela l'imbroglio. Ma l'incauta acquirente perdona, conquistata dal fascino di La Spada, mentre Scorcelletti convinto di aver trovato un filone d'oro, dipinge diversi quadri falsi, spacciandoli per veri. Ma non ha la stoffa del truffatore e finisce in galera: una serie di Maje, pitturate di fresco, gli terranno compagnia in cella. I critici distruggono il film, ma il pubblico ride.

«[...] Gli spettatori non sono fortunati, siamo giusti, costretti a ingerire prodotti così squallidamente raffazzonati, così privi di spirito e d'ogni luce di intelletto umano.»
Casiraghi, «L'Unità», Milano, 15 febbraio 1959.

«Goya torna nel cinema italiano per una variazione spagnola sul tema e sul personaggio di Totò [...] Situazioni già note, battute a tutti i costi spiritose che fanno tanto sabato grasso [...]»
Arturo Lanocita, «Corriere della Sera», Milano, 15 febbraio 1959.

IL LETTO A TRE PIAZZE (1960)
Regia di Steno

Totò interpreta Antonio De Rosa.

Antonio De Rosa, dato per disperso nella campagna di Russia, ricompare a casa il decimo anniversario delle nozze della moglie Amelia col professor Peppino Lo Vecchio, un

Peppino De Filippo in gran forma. Come è facile immaginare, la presenza inaspettata e imbarazzante di Antonio, crea scompiglio e malumori: i due mariti, acerrimi nemici, rivendicano ognuno la validità delle sue nozze, mentre la moglie cerca conforto nell'avvocato Vacchi, suo fervente ammiratore. Nel tentativo di chiarire la situazione, il terzetto parte per la montagna, ma l'altitudine non serve a placare gli animi, tanto che Amelia, disperata, si rifugia in una clinica per malattie nervose. Intanto Antonio e Peppino continuano a litigare, lasciando il campo libero all'avvocato, il quale convince Amelia a partire con lui per una lunga crociera. I due mariti, disperati, inseguono la coppia a bordo di un aereo che precipita, senza lasciare superstiti. Almeno così sembra, tanto che Amelia, credendosi libera, si decide a sposare l'avvocato. Ma in questa storia le sorprese non finiscono mai: all'improvviso quando la signora si è ormai sistemata da cinque anni, Antonio e Peppino ricompaiono, miracolosamente scampati all'incidente. E il finale viene lasciato all'immaginazione del pubblico.

«Totò e Peppino De Filippo sono i protagonisti di questo film di Steno tutto da ridere dal principio alla fine [...] Il film è sul solito metro di tutti gli altri che hanno Totò e Peppino quali protagonisti. Il soggetto è comunque indovinato e si rifà a un episodio avvenuto proprio qui a Napoli qualche anno fa.»
«Roma», 17 settembre 1960.

«Totò e Peppino De Filippo sono sistematicamente adoperati dai produttori del più usuale film comico italiano come accade alle coppie brillanti dell'avanspettacolo [...] Buttati allo sbaraglio, senza copione e con molto mestiere, ad arrangiarsi in scena alla bell'e meglio [...] Tanto si sa che il pubblico tollerante ride in ogni caso. E si diverte [...]»
Claudio G. Fava, «Il Corriere Mercantile», Genova, 15 settembre 1960.

RISATE DI GIOIA (1960)

Regia di Mario Monicelli

Totò interpreta Umberto Venazzù detto Infortunio.

La storia si svolge nel sottobosco del mondo del cinema, popolato da attori falliti alla disperata ricerca di scritture. A questa categoria, in bilico tra il patetico e il ridicolo, appartengono Tortorella (Anna Magnani) che, per vincere l'insicurezza, vanta successi mai goduti e Umberto Venazzù, povero in canna, segretamente innamorato di lei. La sera di Capodanno Tortorella, piantata in asso da un gruppetto di amici, accetta la compagnia di Umberto, il quale, per raggranellare un po' di soldi, ha accettato di fare il complice di un ladro professionista, Lello (Ben Gazzara). Il terzetto si ritrova per caso nella villa di una ricca famiglia tedesca dove Lello, facendo gli occhi dolci a Tortorella, ruba una collana. Del furto viene incolpata la donna che finisce in prigione ingiustamente. La vita non è stata generosa con Tortorella, la quale si era persino illusa di aver conquistato il ladro, ma all'uscita dal carcere, per consolarla, c'è il fedele Umberto, che non ha neppure i soldi per pagarle un taxi, ma è pur sempre un amico vero.

«[...] La vicenda si snoda in tanti piccoli episodi (troppi per la verità), in tante scenette spesso gustosissime, sulla linea di un dialogo brillante, di buona vena comica [...] Tra gli interpreti il più riuscito ci sembra Totò, seppure la sua maschera mostri di tanto in tanto qualche segno di stanchezza [...]»
«Corriere Lombardo», Milano, 14 ottobre 1960.

«[...] I nomi degli attori sono squillanti. Non altrettanto la loro interpretazione. La Magnani è brava più per raffinato mestiere che per intimo convincimento. Ben Gazzarra è spesso spaesato, Totò sobrio e, a volte, struggente.»
Enzo Muzii, «L'Unità», Roma, 22 ottobre 1960.

TOTÒ, FABRIZI E I GIOVANI D'OGGI (1960)
Regia di Mario Mattòli

Totò interpreta Antonio Cocozza.

Il film è la storia di Romeo e Giulietta, rivisitata in chiave farsesca: due giovani innamorati non riescono a coronare il loro sogno d'amore a causa delle liti tra le rispettive famiglie. I consuoceri terribili sono Totò e Aldo Fabrizi, impegnati a farsi dispetti e a insultarsi: uno è il pasticciere Cocozza, l'altro il ragionier D'Amore, un burocrate inguaribilmente avaro. Gli screzi nascono da due mentalità agli antipodi, in un contrasto sottolineato da una serie di battute, per arrivare, s'intende, al previsto matrimonio. Il copione è esile, la regia approssimativa e i critici distruggono il film, ma qualcuno salva egualmente Totò che, insieme a Fabrizi, riesce sempre a divertire il pubblico.

«[...] Nessuno ha mai preteso che Mario Mattòli facesse un bel film, neppure Mario Mattòli. Perciò non siamo meravigliati di vedere il solito Totò e il solito Fabrizi invischiati in una scombinata storiella dove le battute sono per metà incomprensibili dato che tutti in scena fanno a gara a chi grida di più [...]»
«L'Avanti», Roma, 20 agosto 1960.

«[...] La trama è il pretesto per consentire lo scontro verbale, spesso arguto, tra i due grandi attori. Si ride alla loro mimica e per il dialogo, sempre vivo e divertente. Totò e Fabrizi sono impegnati a fondo e dispensano a piene mani la loro carica comica [...]»
«Corriere Lombardo», Milano, 20 agosto 1960.

SIGNORI SI NASCE (1960)

Regia di Mario Mattòli

Totò interpreta Ottone Spinelli degli Ulivi.

I fratelli Spinelli, Totò e Peppino De Filippo, sono agli antipodi. Il primo è uno spendaccione, sempre inseguito dai creditori, troppo sensibile al fascino femminile, il secondo è un morigerato signore, titolare di una sartoria ecclesiastica. Per carpirgli denaro, Ottone inventa ogni tipo di espediente, persino quello di portargli in casa una bella ballerina (Delia Scala), spacciandola per sua figlia, frutto di una relazione giovanile. La commedia si dipana attraverso una serie di equivoci, per giungere al classico lieto fine. Il sarto, caduto nella trappola del fratello scioperato, finanzia uno spettacolo in cui Patrizia ottiene un grande successo, diventando una stella del varietà. Come a dire che non tutto il male viene per nuocere. Totò, nel dar vita al suo personaggio, si rifà a quello del gagà, già interpretato in palcoscenico. Parla con la erre moscia, corteggia le belle donne e le ricopre di regali, con i soldi degli altri, s'intende. E quando non sa con chi sfogare i suoi malumori, litiga col cameriere (Carlo Croccolo), al quale, naturalmente, non paga mai lo stipendio.

«[...] Mario Mattòli si è servito, qualche volta con opportunità e allegria, di tutte le buffonerie facili e bonarie che frequentano da tre quarti di secolo i palcoscenici. Totò e Peppino De Filippo, naturalmente, ci sguazzano, con tutto il loro repertorio.»
Maurizio Liverani, «Paese Sera», Roma, 1 maggio 1960.

«[...] L'invenzione è scarsa, il dialogo indigente, lo spirito da sottoscala. Chi salva un pochino lo spettacolo è il duo Totò Peppino De Filippo. Non ci dicono nulla di nuovo,

ma le macchiette da essi disegnate, hanno smalto, colore, vivacità meridionale.»
Pietro Bianchi, «Il Giorno», Milano, 29 aprile 1960.

NOI DURI (1960)
Regia di Camillo Mastrocinque

Totò interpreta l'Algerino.

Il film, nato sulla scia del grande successo di Fred Buscaglione, vede il cantante, famoso negli anni Sessanta, nei panni del tenente dell'F.B.I., Fred Bombardone, mandato a Parigi per sostituire un suo collega ucciso da una banda di spacciatori di droga. Per introdursi nel quartier generale della malavita locale, un locale notturno equivoco, Bombardone, improvvisa un'orchestra di jazz composta da agenti della Suretè. Ingannati dalla sua faccia da duro, gli spacciatori gli offrono di entrare nella loro cricca il cui capo è Totò, detto l'Algerino. Bombardone si finge «un addetto ai lavori» e riesce a sequestrare un grosso carico di droga che dovrebbe servirgli ad arrestare tutta la banda. Ma Josette, una cantante con la quale ha un flirt, si accorda con una banda rivale, rischiando di mandare all'aria il piano di Bombardone. Insomma, come nei migliori romanzi di Mikey Spillane il duro viene giocato da una bella donna, ma per poco. Infatti, quando tutto sembra perduto, arriva la polizia e arresta i colpevoli.

«Questo film è un vero guazzabuglio di avventure improbabili pur nella loro stessa paradossalità, e rivela una cura non troppo attenta nel rendere una storia che una migliore sceneggiatura avrebbe potuto presentare sotto un aspetto più gradevole [...] La macchietta disegnata da Totò ricalca vecchi schemi del celebre comico [...]»
Alberto Albertazzi, «Intermezzo», Roma, 31 marzo 1960.

«È una discreta parodia di certi film di Eddie Costantine giuocata con una certa abilità da Fred Buscaglione, affiancato da un trio di belle "pupe" e da due attori comici assai popolari, il giovane Panelli e l'anziano Totò in un ruolo che ci ha ricordato un suo vecchio film *Totò Le Mokò.*»
«Il Giorno», Milano, 12 marzo 1960.

TOTÒ, PEPPINO E LA DOLCE VITA (1961)

Regia di Sergio Corbucci

Totò interpreta Antonio Barbacane.

Il film è la parodia dell'omonimo capolavoro di Federico Fellini e ne riproduce la tipica atmosfera in chiave farsesca. Antonio Barbacane, un posteggiatore abusivo e il cugino Peppino (Peppino De Filippo), entrambi alla ricerca di una sistemazione dignitosa, si ritrovano a Roma, cedendo alle lusinghe della «dolce vita». Ne seguono parecchie avventure, come la serata in un night con due belle straniere e il party peccaminoso in un castello, con tanto di seduta spiritica. I due scapestrati vengono chiamati all'ordine dal nonno decrepito, ma pieno di grinta, il quale piomba a Roma e li rispedisce a pascolare le pecore nel paesello natìo, mentre lui resta a Roma a godersi la dolce vita. Totò, che interpreta anche la parte del nonno terribile, con una fluente parrucca bianca, sul set improvvisa una quantità di battute e, affascinato come spesso gli accade dalle lingue estere, prova a comunicare con gli stranieri di passaggio per Via Veneto spacciandosi per un poliglotta: il suo strano idioma è un misto di lingue, filtrate dallo spirito napoletano. Esilarante.

«[...] Al solito l'invenzione è tanto povera e la comicità così grossolana, che ci pare superfluo trattenerci sull'accozza-

glia di casi che vi tengono luogo di vicenda. Eppure la risata il filmetto la strappa piuttosto spesso; e non tanto per la rozza caricatura di alcuni personaggi del film felliniano (Via Veneto, i paparazzi e scampoli di orge nobiliari) e molto meno per la solita macchietta degli equivoci, quanto per il duetto quasi sempre spassoso dei due protagonisti, Totò e Peppino [...] Il regista si è affidato a loro a occhi chiusi [...]»
Leo Pestelli, «La Stampa», Torino, 20 aprile 1961.

«[...] Il film di Sergio Corbucci vorrebbe essere la parodia di quello di Fellini, ma è soltanto una stanca farsa vociante e inconcludente. In tanta sciatteria si salva, a tratti, la pirotecnica bravura dei due comici, ai quali si devono augurare canovacci meglio ideati e eseguiti.»
«Corriere della Sera», Milano, Torino, 2 aprile 1961.

TOTÒTRUFFA (1961)
Regia di Camillo Mastrocinque

Totò interpreta Antonio Lo Ruffo.

Antonio e Felice (Nino Taranto), trasformisti da avanspettacolo, usano i trucchi ai quali sono abituati in palcoscenico per organizzare una serie di truffe. Con i proventi degli imbrogli, Antonio mantiene in un collegio di lusso Diana, l'unica, amatissima figlia, fingendosi un ricco uomo d'affari con la direttrice dell'istituto, sempre pronta a spillargli quattrini. Nella sua losca attività, però, deve fare i conti col commissario Malvasia che gli dà la caccia da tempo, non sospettando che il figlio si è innamorato della figlia del truffatore, conosciuta casualmente. Il ragazzo finisce vittima di un raggiro di Lo Ruffo, il quale, come falso proprietario di un'agenzia di collocamento, dietro il versamento di una certa somma, promette di trovargli un lavoro. Quando scopre che il giovanotto è il fidanzato di Diana, per di più figlio del commissario Malvasia, si pente e cerca di riparare ai suoi guai. Probabilmente non ci riuscirebbe se un'eredità inattesa non risolvesse la situazione, consentendogli di diventare un cittadino onesto, degno consuocero di un commissario di polizia.

«[...] Il soggetto, con la scusa della farsa, è quanto di più sballato si possa immaginare: il maggiore sforzo inventivo degli sceneggiatori, Castellano e Pipolo, è quello di costruire alla meno peggio i vari sketches che servono di pretesto ai due comici partenopei per ricamare un fuoco di fila di lazzi, smorfie e battute, con un impegno degno di migliori imprese. Il film sono loro, Totò e Taranto: suppliscono all'inadeguatezza del copione con una tale abilità da rendere divertenti anche trovate e battute vecchie di decenni.»
Valentino De Carlo, «La Notte», Milano, 19 agosto 1961.

«Filmetto piuttosto scucito, che pare composto da due "pizze" ben distinte. Quando in scena ci sono Totò e Taranto si ride spesso [...] Quando i due scompaiono, le cose vanno maluccio. Ma il regista sembra non accorgersene.»
«Il Giorno», Milano, 19 agosto 1961.

I DUE COLONNELLI (1962)
Regia di Steno

Totò interpreta il colonnello Di Maggio.

Nel 1943, Motegreco, un paesino al confine tra Grecia e Albania, passa e ripassa più volte dalle mani italiane a

quelle inglesi. Una strana situazione che favorisce l'amicizia tra il colonnello Henderson (Walter Pidgeon) e il colonnello Di Maggio, i quali simpatizzano nonostante abbiano ben poco in comune. Il loro rapporto, reso problematico dal fatto che sono affascinati dalla stessa donna, la bella Iris, è una gara di reciproca solidarietà: quando il colonnello inglese è nei guai Di Maggio è pronto ad aiutarlo e viceversa.
Nella confusione generale, Henderson e Di Maggio scoprono che Iris li ha imbrogliati facendosi sostituire dalla madre nei loro letti, per nascondere il marito del quale è innamoratissima. I due colonnelli resistono anche a questo colpo e, finalmente, l'8 settembre, combattono fianco a fianco contro il nemico comune. Come a dire che l'amicizia supera differenze etniche e culturali. Almeno se c'è di mezzo Totò.

«Totò è sempre Totò: un modo di dire piuttosto convenzionale, ma esatto. I produttori si ricordano di lui soltanto per tenere in piedi ignobili intrugli con intenzioni comiche, ma è raro che, nonostante queste, Totò non si permetta in ogni film almeno una scena degna delle sue doti di grande attore [...]»
Valentino De Carlo, «La Notte», Milano, 12 gennaio 1963.

«[...] Su di una trama fluida e vaga come un canovaccio di commedia dell'arte, Totò ricama con esuberanza una delle sue più riuscite e gustose interpretazioni, riuscendo a conferire al tempo stesso al personaggio note umane che gli danno dimensioni più vaste e autentico calore vitale [...]»
«Il Messaggero», Roma, 6 gennaio 1963.

TOTÒ CONTRO MACISTE (1962)

Regia di Fernando Cerchio

Totò interpreta Totokamen Sabachi.

Totokamen, insieme al suo compare Tarantenkamen (Nino Taranto), si esibisce in un locale di Tebe, facendosi passare per l'uomo più forte del mondo, in quanto figlio del dio Ammon. I suoi trucchi sono talmente efficaci, da trarre in inganno persino il grande dignitario di corte, il quale gli propone di battersi contro Maciste. Il gigante, innamorato di Nefertiti, la figlia del Faraone, è diventato nemico della sua gente per aver bevuto un filtro magico che gli ha stravolto la personalità e sembra invincibile. In un primo momentoTotokamen, convintosi di essere veramente il figlio di Ammon, accetta la sfida, ma poi incontra il suo vero padre, un modesto soldato, mingherlino come lui, e si rende conto che in uno scontro con Maciste avrebbe certamente la peggio. Per fortuna il gigante rinsavisce, a Tebe torna il sereno e Totokamen e Tarantenkamen riprendono le vie del deserto insieme al loro asinello Edoardo.

«Comicità di casa nostra e di grana grossa, con questo film, dove il nostro comico più popolare, valendosi di una "spalla" d'eccezione come Nino Taranto, fa una sorta di parodia alle egizianerie con muscoli [...] È materia di facile divertimento per chi a Totò chiede soltanto i consueti lazzi mimici e verbali. Ha diretto Fernando Cerchio, tentando di mettere in burletta un genere da lui stesso coltivato: ma è difficile fare la parodia della parodia.»
«La Stampa», Torino, 1 settembre 1962.

«[...] Potevano i produttori italiani lasciarsi sfuggire un'occasione d'oro come quella di fare indossare a Totò i panni di un antico egizio? [...] Nonostante Totò si ride poco e male: per la semplice ragione che come parodia sono molto più

divertenti quelle avventure che pretendono di essere serie. Ma perché Totò non sceglie meglio i soggetti da interpretare? Tanto i buoni film glieli pagano come quelli brutti.»
«La Notte», Milano, 14 agosto 1962.

TOTÒ DI NOTTE N. 1 (1962)
Regia di Mario Amendola

Totò interpreta Ninì Cantachiaro.

Ninì e Mimì (Erminio Macario), due scalcinati suonatori ambulanti di contrabbasso, sbarcano il lunario esibendosi nelle piazze e nei ristoranti romani in relativa serenità. Fino a quando Ninì scopre che l'amico ha ereditato un discreto gruzzolo dalla nonna e cerca di convincerlo che i soldi bisogna spenderli in allegria. Mimì gli dà ascolto e parte con lui per un viaggio intorno al mondo in cui visitano i locali notturni più lussuosi, assistendo a vari numeri di varietà, compreso qualche spogliarello. Vagabondando da Parigi a Hong Kong, da Madrid ad Amburgo, i due si ritrovano a New York dove, inaspettatamente il loro talento sembra essere apprezzato. Ma si tratta di un successo effimero e Ninì e Mimì, delusi e amareggiati, se ne ritornano a Roma. A piedi.

«[...] Gli sketches affidati ai due compari sono piuttosto logori, ma talvolta strappano il sorriso (Totò che balla il twist rivelandosi precursore del medesimo), per l'affiatata bravura degli esecutori e gli estri mimici e verbali del protagonista [...]»
Leo Pestelli, «La Stampa», Torino, 8 novembre 1962.

«[...] Il guaio è che le avventure dei protagonisti, girate quasi sempre in interni malamente connessi con pezzi di documentario, sono senza sale, e privi di pepe sono gli

spettacoli di varietà [...] Nonostante tutto, quando i due comici sono in scena il tempo passa: Totò ha una tale carica di comicità e Macario è così tonto che i loro "numeri" accendono talvolta una fiammella di ilarità.»
Giovanni Grazzini, «Corriere della Sera», Milano, 13 novembre 1962.

I DUE MARESCIALLI (1962)
Regia di Sergio Corbucci

Totò è Antonio Capurro.

Siamo in tempo di guerra. Antonio Capurro, ladro di professione, mentre ruba una valigia travestito da prete, viene arrestato nella stazione ferroviaria di Scalitto, dal maresciallo dei carabinieri Antonio Cotone (Vittorio De Sica), che da anni gli dà la caccia. Ma proprio in quel momento sopraggiunge un bombardamento che consente a Capurro di scappare scambiandosi gli abiti col maresciallo svenuto: lui indossa la divisa da maresciallo e Cotone si ritrova con la tonaca. Nella particolare situazione creatasi l'8 settembre del '43, lo scambio si rivela utile per entrambi. Il maresciallo trova asilo in una canonica, mentre il ladro viene usato dai tedeschi, odiati dagli abitanti di Scalitto, per placare gli animi. Come capo della VAF, Associazione Ausiliari Forze di Polizia, Capurro riesce ad aiutare molte persone oppresse dal regime fascista, in combutta col maresciallo che gli perdona tutte le malefatte. Condizionato dalla divisa che porta per caso, il ladro sembra redimersi, al punto di affrontare con coraggio la fucilazione. Il maresciallo Cotone si ritiene responsabile della sua morte e lo considera un eroe, fino a quando non lo rivede, travestito da frate, nell'atto di rubargli la valigia. Scampato chissà come ai tedeschi,

Capurro si è rimesso a rubare: evidentemente quella del ladro è la sua vera, insopprimibile vocazione.

«[...] Poteva essere un film serio o una commedia grottesca: disponendo di attori come Totò e De Sica, ma non di idee, gli sceneggiatori hanno preferito mettere assieme una farsa sgangherata e inconcludente [...] Le trovate sono rare e i due interpreti principali ne approfittano per trarne tutti gli effetti possibili: Totò con consumata gigioneria, De Sica con una stanchezza mal dissimulata.»
Valentino De Carlo, «La Notte», Milano, 20 gennaio 1962.

«[...] Una farsa amena che per la mimica di Totò, in special modo, diverte il pubblico e lo fa ridere [...] Recitato benissimo dai due compari Totò e De Sica *I due marescialli* rappresenta il miglior film di Sergio Corbucci dal 1951.»
Franco Maria Pranzo, «Corriere Lombardo», Milano, 19 gennaio 1962.

LO SMEMORATO DI COLLEGNO (1962)
Regia di Sergio Corbucci

Totò interpreta lo smemorato.

La storia, chiaramente ispirata al famoso caso di Bruneri e Canella, racconta le avventure di un pover'uomo che ha perso la memoria. La sua fotografia, pubblicata dai giornali, accende attorno a lui, l'interesse di vari imbroglioni che fingono di riconoscerlo per trarre vantaggio dalla situazione. Lo smemorato si ritrova quindi diviso tra tre presunte identità. La moglie di un industriale lo indica come il marito dato per disperso in guerra, in lotta con un'altra donna, la quale anche lei lo identifica nel consorte creduto morto. Ma non basta, un malfattore denuncia lo smemorato giurando che è un ladro suo complice. Alla fine la verità viene a galla e non è edificante. La moglie dell'industriale ha inventato tutto, d'accordo con l'amministratore dei beni familiari, per sottrarre ai fratelli del coniuge, veramente defunto, la loro parte dell'eredità, mentre l'altra donna confessa di essere stata pagata dai parenti dell'industriale per smontare la testimonianza della vedova. Lo smemorato non può essere nemmeno il ladro, in quanto costui, in seguito a nuovi misfatti, si trova in galera. Per lo smemorato niente è cambiato, non gli resta che continuare a cercare la sua identità, in compagnia del cane, il suo unico amico.

«Sergio Corbucci, che è un regista attento e di gusto è riuscito ad evitare che il film degenerasse, anche nei momenti in cui Totò "vi dà dentro" in una farsa. Totò è, come sempre un comico lepidissimo, che ha trovato una "spalla" piena d'umore in Nino Taranto [...]»
Vittorio Ricciuti, «Il Mattino», Napoli, 20 settembre 1962.

«[...] Il film narra la complicata avventura di un reduce di guerra che ha perso la memoria [...] Si tratta di una delle solite farse all'italiana dove Totò si prodiga col solito metro [...]»
«La Notte», Milano, 13 settembre 1962.

TOTÒ DIABOLICUS (1962)
Regia di Steno

Totò interpreta il marchese Galeazzo del Campo/ monsignor Antonino/ il generale Scipione/ il professor Carlo/ la baronessa Laudomia/ Pasquale Bonocore.

Il film, in cui Totò interpreta vari personaggi, tra i quali anche quello di una matura e vogliosa nobildonna, racconta una storia intricatissima, degna di un *feuilleton.* Tutto inizia con un delitto: il marchese Galeazzo viene trovato pugnalato da un ignoto assassino che ha lasciato la sua firma, Diabolicus. Del misfatto sono subito accusati i fratelli del defunto, eredi di un cospicuo patrimonio. Escluso monsignor Antonino, se non altro per l'abito che indossa, i sospetti si concentrano su Scipione, un ex generale, la baronessa Laudomia, più volte vedova e sempre alla caccia di giovani mariti e Carlo un noto chirurgo abituato a perdere gli occhiali in sala operatoria. Le indagini si complicano quando i tre indiziati vengono assassinati, lasciando nei guai monsignor Antonino sul quale si appuntano i sospetti. Ma il prelato rinuncia all'eredità a favore di un suo figlio naturale, Pasquale Bonocore che, in teoria almeno, potrebbe essere Diabolicus. Il mistero si chiarisce quando si scopre che l'assassino è Galeazzo, il quale, dopo aver ucciso il fratello prete, ne aveva indossato gli abiti. È stato lui a sterminare l'intera famiglia e per sfuggire alla inevitabile punizione, progetta di ammazzare anche Pasquale, facendo poi ricadere i sospetti sull'ultimo marito della terribile Laudomia. Ma all'ultimo momento il suo diabolico piano va a monte e Pasquale può godersi in pace l'eredità, mentre l'assassino paga per i suoi delitti.

«[...] La comicità di Totò raggiunge un *diapason* quando veste i panni della sorella plurivedova, nella sequenza del chirurgo miope che, mentre sta operando, perde gli occhiali [...] Totò è molto bravo nel caratterizzare sei personaggi, ma sfortunatamente il copione gli offre scarsissime possibilità di andare al di là di una esteriore caricatura [...]»
«Il Messaggero», Roma, 7 aprile 1962.

«I cosiddetti umoristi incaricati di scrivere per Totò un copione efficiente sono ancora fermi a trovate e a battute da avanspettacolo [...] È questione anche di forma: quando si

invita a pranzo un principe non gli si offre risciacquatura di piatti al posto del brodo di carne. Così continueremo ad avere un attore geniale malamente sprecato in avventure non degne di lui e sempre in attesa della grande occasione [...]»
Valentino De Carlo, «La Notte», Milano, 30 aprile 1962.

TOTÒ E PEPPINO DIVI A BERLINO (1962)
Regia di Giorgio Bianchi

Totò interpreta Antonio La Puzza.

Allettato dal compenso di parecchi milioni promessigli da due nazisti, l'ingenuo Antonio La Puzza, giunto a Berlino per tentare la carriera di magliaro, accetta di sostituire il generale Canarinis, al quale rassomiglia come una goccia d'acqua. Si ritrova così davanti all'alta Corte Americana di Berlino Ovest per rispondere di crimini di guerra, ovviamente mai commessi. In aula incontra un altro napoletano, Giuseppe Paglialunga, pagato anch'egli perché deponga contro il finto Canarinis. Rilasciati dagli americani, i due si mettono ancora nei pasticci e a Berlino Est vengono catturati dai russi, i quali scambiano la "Smorfia" per un codice cifrato. Dopo parecchi guai, La Puzza e Paglialunga, grazie anche all'aiuto di una zia defunta di Antonio che gli va in sogno nei momenti difficili, riescono a cavarsela.
Scampati anche ai russi, però, i due amici non potranno realizzare il sogno di tornare a Napoli: scambiati per scienziati, vengono rapiti dai cinesi e finiscono a Pechino. Totò, affiatatissimo con Peppino, crea insieme a lui un esilarante linguaggio tedesco-partenopeo.

«[...] La squallida storiella vuole scherzare sulla drammati-

ca realtà del muro di Berlino, ma il risultato è sconsolante. Spiace che due attori di gran classe come Totò e Peppino De Filippo si facciano coinvolgere in simili indigesti minestroni [...]»
«Corriere d'Informazione», Milano, 10 settembre 1962.

«[...] Totò e Peppino De Filippo ripetono instancabilmente la commedia degli equivoci e delle paure, sfruttando un repertorio che gli spettatori conoscono ormai a memoria, ma che strappa ancora le risate. Riflessi condizionati? È possibile: in ogni modo il film, imbastito frettolosamente, tenta qua e là i toni della satira, ma ottiene poi i migliori effetti dalla comicità alla buona dei due protagonisti.»
«La Stampa», Torino, 8 settembre 1962.

GLI ONOREVOLI (1963)
Regia di Sergio Corbucci

Totò interpreta Antonio La Trippa.

Antonio La Trippa, candidato nella lista del PNR, il Partito Nazionale della Restaurazione, va all'affannosa ricerca di voti al grido di: "Votàntonio, votàntonio, votàntonio", ripetuto come un tormentone. In un clima di cospirazione e di competitività senza esclusione di colpi, La Trippa arriva a fare un comizio nel suo paesello natìo, Roccasecca. Rimpiange la monarchia, indossa il cappello da bersagliere con tanto di pennacchio, ma, al di là di ogni facile giudizio, è veramente una brava persona. E infatti, quando viene avvicinato da alcuni dirigenti del partito che gli rivelano i loro loschi interessi, li denuncia pubblicamente ai concittadini. Il gesto gli costa l'elezione, ma Antonio preferisce sacrificarsi, piuttosto che tradire chi ha fiducia in lui. Svanito il bel sogno di diventare onorevole, La Trippa torna alla sua vita noiosa, dopo un ultimo sguardo al manifesto su cui campeggia la sua fotografia col cappello da bersagliere, l'unico ricordo di un fugace momento di gloria.

«[...] Il filmetto di Corbucci non esce dall'abborracciata formula a episodi e dal dubbio umorismo da avanspettacolo tanto caro al bozzettismo romanesco. Insomma, una sfilza di luoghi comuni con qualche episodico momento divertente che va a merito dei singoli interpreti più che del copione e del regista.»
Giulio Cattivelli, «La Libertà», Piacenza, 6 ottobre 1963.

«Barzellette sceneggiate anche ne *Gli Onorevoli* di Sergio Corbucci, cavalcata mica tanto amena nel sottobosco della politica italiana, con attori di prestigio internazionale come Totò, De Filippo, Chiari, la Valeri, umiliati in un repertorio polveroso e di basso conio, afflitti da una sceneggiatura e da un dialogo capaci di suscitare una profonda, invincibile malinconia persino nel più zelante tra gli spettatori televisivi [...]»
Onorato Orsini, «La Notte», Milano, 20 febbraio 1964.

TOTÒ SEXY (1963)
Regia di Mario Amendola

Totò interpreta Ninì Cantachiaro.

Ninì Cantachiaro, in carcere per contrabbando insieme all'amico Mimì Cocco (Erminio Macario), evade dalla tristezza della prigione sognando. A occhi chiusi immagina di essere tra donne bellissime alle quali parla d'amore e non sopporta di essere svegliato sul più bello dai grossolani compagni di cella. Anche nella sua precaria situazione,

Ninì conserva una grande dignità, memore degli anni vissuti con Mimì, quando erano due onesti suonatori e frequentavano i più noti locali notturni di Parigi, Londra e Amburgo. Sono finiti in galera per caso, improvvisandosi contrabbandieri per introdurre in Italia una partita di cioccolata Svizzera spacciata per mangime per i polli. Ma il ricordo del passato, poetico nonostante la miseria, non basta a rasserenare Ninì che, per sopravvivere tra le sbarre, riprende a sognare.

«[...] L'apporto di quel grande comico che è Totò, che farebbe ridere anche leggendo l'orario ferroviario, fa sì che il lazzo sia presente in tutte le scene delle quali è protagonista il comico napoletano, spalleggiato ottimamente da Macario [...] Se c'è un solo motivo per andare a vedere questo filmetto è proprio solo per andare a vedere l'intramontabile principe de Curtis.»
«La Libertà», Piacenza, 15 settembre 1963.

«Il divertimento manca del tutto in questo ennesimo zibaldone rivistaiolo in cui un illustre attore come Totò avvilisce la sua fama senza alcuna ragione [...] Allusioni e battute volgari si sprecano e di regia non è neppure il caso di parlare [...]»
Valentino De Carlo, «La Notte», Milano, 7 settembre 1963.

TOTÒ CONTRO I QUATTRO (1963)
Regia di Steno

Totò interpreta il commissario Antonio Saracino.

Il film racconta la giornata tipo del commissario Saracino, il quale, appena alzato, scopre che i ladri gli hanno rubato la macchina, vinta alla lotteria. Anche se infuriato, però, va a lavorare col consueto zelo, incontrando una serie di tipi strani. Il primo è un marito tradito (Peppino De Filippo), convinto che la moglie, in combutta con l'amante veterinario, voglia avvelenarlo, un altro è il sedicente poliziotto privato La Matta (Erminio Macario), il quale, prima di finire in manicomio, denuncia delitti mai commessi. Non manca nemmeno un prete, don Amilcare (Aldo Fabrizi), che restituisce la refurtiva consegnatagli da un ladro pentito, rifiutandosi, però, di rivelarne l'identità. Tra questi e altri casi, il commissario Saracino, se la cava egregiamente, arrivando a travestirsi da donna, per la precisione da mondana, con parrucca bionda e finto seno prorompente, per smascherare un ricattatore. La giornata finisce bene, perché, grazie all'intercessione di don Amilcare, buon amico dei ladri, Saracino ritrova la macchina e rientra a casa contento.

«[...] Una serie di episodi in ciascuno dei quali la satira si fonde alla farsa sul binario della comicità più schietta sia per gli spunti piacevolissimi di cui è ricca la trama, sia per la consumata arte di Totò. Steno ha diretto cercando di evitare ogni eccesso, riuscendo peraltro a tener viva quella carica di humor di cui tutto il film è garbatamente pervaso [...]»
«Il Messaggero», Roma, 9 marzo 1963.

«[...] Il film ha il merito di evitare le scollacciature dalla sua comicità affidata più che altro a innocenti giochi di parole. E non è neanche il caso di parlare di satira anche se alcune avventure appaiono suggerite da altrettanti scandali e scandaletti del giorno. Le "spalle" sono di lusso (Fabrizi, Peppino De Filippo, Mario Castellani) e appunto dai duetti che ciascuna di esse intreccia col sempre ameno protagonista, scaturisce per gli spettatori di palato facile, un modesto, ma infallibile divertimento.»
Leo Pestelli, «La Stampa», Torino, 10 marzo 1963.

IL GIORNO PIÙ CORTO (1963)

Regia di Sergio Corbucci

Totò interpreta un frate bersagliere.

Il film è un pretesto per mettere insieme i più famosi comici degli anni Sessanta da Walter Chiari a Peppino De Filippo, da Franco Franchi a Ciccio Ingrassia, con la partecipazione, breve ma folgorante, di Totò nei panni di un frate col cappello da bersagliere. Due balordi siciliani, durante la prima guerra mondiale, vengono processati per tradimento. In realtà sono vittime di una serie di equivoci tragicomici, rievocati nell'aula del Tribunale. Irretiti da Naja, una sciantosa di pochi scrupoli, i due poveracci si erano trovati coinvolti in una operazione di spionaggio ed erano riusciti a portarla in porto, al di là di ogni intenzione, come capita agli eroi involontari. Nonostante l'arringa di un avvocato difensore che chiede la loro condanna, i siciliani commuovono i giudici e vengono assolti.

«[...] Il film si risolve in una serie di sketches che, per puro caso, hanno il fronte di guerra come teatro [...] Non va preso troppo sul serio. Quelli di Totò sono giochi di parole e il resto è citrullaggine.»
Alberico Sala, «Corriere d'Informazione», Milano, 15 febbraio 1963.

«*Il giorno più corto* è uno spettacolo passabile e persino divertente [...] Più che altro il divertimento è dovuto alla presenza di alcune decine di attori noti e meno noti a cui sono affidate piccole macchiette, a volte abbastanza gustose o fuggevoli apparizioni [...]»
Valentino De Carlo, «La Notte», Milano, 15 febbraio 1963.

LE MOTORIZZATE (1963)
Regia di Mario Girolami

Totò è Urbano Cacace.

Nel film, a episodi, Totò interpreta quello intitolato *Il vigile ignoto.* Urbano Cacace è un disoccupato afflitto dalla necessità di sbarcare il lunario, messo continuamente sotto accusa dalla famiglia affamata. Per risolvere, almeno in parte, i suoi problemi il 6 gennaio, Cacace si finge un vigile urbano per accaparrarsi i doni riservati alla categoria in occasione dell'Epifania. In seguito, incoraggiato dal fatto di essere riuscito nel suo inganno, continua a spacciarsi per vigile urbano, dimostrandosi molto accorto e risolvendo, a modo suo, vari problemi del traffico cittadino. Smascherato da un brigadiere della polizia municipale, Urbano finisce sul banco degli imputati e giura di non indossare più la divisa che non gli compete. Ma il lupo perde il pelo e non il vizio. L'ultima scena del film, infatti, ci mostra Cacace con la divisa da poliziotto stradale, mentre fa la multa a due belle straniere.

«Solita collezione di barzellette sceneggiate da un gruppo di comici abituali frequentatori dei film di Girolami. Questa volta sono state prese di mira le donne al volante: il livello umoristico è piuttosto basso e decisamente volgare. Qualche risata è possibile farla solo alla presenza di Totò. Ma chi glielo fa fare di prendere parte a certi film?»
«La Notte», Milano, 2 settembre 1963.

«[...] E *Le motorizzate?* Ma è solo un pretesto, un debole filo conduttore che in alcuni episodi come in quello di Totò non ha più alcun senso [...]»
«Corriere Lombardo», Milano, 2 settembre 1963.

IL MONACO DI MONZA

Regia di Sergio Corbucci

Totò interpreta Pasquale Cicciacalda.

Siamo nel Seicento e Pasquale Cicciacalda, un ciabattino che fabbrica solo scarpe destre, vedovo e padre di dodici figli, viene cacciato dal villaggio natio perché non paga le decime al signore locale. Travestito da monaco, insieme alla numerosa prole e a un pastore di nome Mamozio (Erminio Macario), Pasquale incomincia a vagabondare cercando di sbarcare il lunario. La fame rende il cammino faticoso, ma la comitiva riesce ad arrivare in un castello dove sta per avvenire un misfatto. Il perfido marchese Egidio (Nino Taranto), tiene prigioniera la bella cognata, tentando di indurla al matrimonio. La donna, che è innamorata di un altro, chiede aiuto a Pasquale, il quale, sensibile al fascino femminile, diventa il suo protettore, sostenuto, in un improbabile lieto fine, da un gruppetto di suore guerrigliere, capitanate dalla Monaca di Monza.

([...] I vecchi sketches d'avanspettacolo brillavano in confronto a questo film che è diretto, ahilui!, da Sergio Corbucci, per intelligenza, brio e raffinatezza. Qui la qualità delle trovate comiche è talmente povera da non riuscire a strappare il minimo accenno di sorriso. Il buon Totò si sbraccia inutilmente [...]»
«Il Secolo XIX Nuovo», Genova, 23 marzo 1963.

«[...] Ma perché Totò riesce sempre a fare un film più brutto del precedente? Chi lo conosce sa che Totò, per quanto stanco e acciaccato, non può rinunciare a recitare; per lui equivarrebbe rinunciare a vivere. E perciò recita, qualunque sia il soggetto che gli propongono e il regista che dovrà dirigerlo [...]»
«La Notte», Milano, 6 aprile 1963.

CHE FINE HA FATTO TOTÒ BABY? (1964)
Regia di Ottavio Alessi

Totò interpreta Totò Baby.

Il film è la parodia di un celebre horror interpretato da Bette Davis che Totò imita nella gestualità e nelle espressioni del volto. Due fratelli, Totò e Piero (Pietro De Vico), che vivono di espedienti, rubano due valige in una delle quali trovano un cadavere.
Nel tentativo di sbarazzarsene, i fratelli abbordano due turiste che, per un errore, si portano via il morto, scambiando la loro valigia con quella di Totò e Piero, i quali si ritrovano con un carico di marjuana. Le ragazze, infatti, sono corrieri della droga, assoldate dal barone Misha, un vizioso aristocratico. Nel suo castello piombano Totò e Piero nel tentativo di recuperare il cadavere, incappando in una serie di avventure, a metà tra il macabro e il grottesco. I due strani fratelli, alla fine, vengono assunti dal barone come custodi del castello, mentre Totò, scambiando la marjuana per insalata, ne fa una scorpacciata, mutando completamente personalità. Diventa malvagio, sadico e violento, pronto a tiranneggiare il malcapitato fratello. Il finale è simile a quello del film con la Davis: Totò, regredito all'infanzia, canta una canzoncina, danzando attorno a Piero che ha sepolto nella sabbia e quando arriva la polizia si fa arrestare senza opporre resistenza.

«[...] Ci si chiede, infine, se non sarebbe bello vedere Totò diretto da un sommo regista, Fellini, per esempio. Chissà? forse non darebbe niente di più. Forse farebbe peggio, sarebbe come congelato dal genio altrui. Ma varrebbe la pena provare, no? Fa cinque film all'anno. Può essere che nessun produttore veda la convenienza commerciale, la novità pubblicitaria, la probabilità artistica dell'abbina-

mento? Andrà come andrà. Caro Totò, in ogni modo, grazie. Grazie di averci tanto divertito. Nella tua carriera, e nell'esattezza del ritmo del tuo più piccolo lazzo, c'è qualcosa di indomito: un esempio per tutti, una lezione. Anche di questo, grazie.»
Mario Soldati, «L'Europeo», Milano, 13 settembre, 1964.

TOTÒ CONTRO IL PIRATA NERO (1964)
Regia di Fernando Cerchio

Totò interpreta José.

Il ladruncolo Josè per sfuggire alle guardie si nasconde in un barile e si ritrova imbarcato sulla nave del Pirata Nero. Tra i brutti ceffi dell'equipaggio incorre in una serie di disavventure da cui esce indenne grazie alla sua furbizia, sfuggendo persino all'impiccagione. Poi, durante una battaglia, si distingue per il suo valore duellando con uno scolapasta in testa, usato come elmo e si guadagna la stima della ciurma. Il suo successo irrita il Pirata Nero che fa di tutto per liberarsi di lui e che considera ormai un pericoloso rivale. Per raggiungere questo scopo manda Josè, travestito da marchese, nel palazzo del governatore allo scopo di ritrovare un tesoro. Ma il ladruncolo ancora una volta se la cava, riuscendo anche ad aiutare Isabella, la figlia del governatore che ama un uomo diverso da quello destinatogli dal padre. Alla fine Josè trionfa, la ragazza sposa l'amato bene e i pirati finiscono in galera.

«[...] A cavallo della tigre dei qui pro quo, degli equivoci, dei funambolismi, delle filastrocche e delle pantomime, Totò non ne discende più: e neppure ci pensa. È sempre bravissimo ed alcuni frammenti sono irresistibili, estrosa-

mente montati con le risorse della sua maschera e i giochi irrefrenabili di parole [...]»
Alberico Sala, «Corriere d'Informazione», Milano, 14 agosto 1964.

«[...] Il filmetto ha un certo lustro di spettacolo che gli scusa la comicità piuttosto grossolana. Inesausta la vena del popolare comico nel divertire, per lo più con giochi di parole, lazzi estemporanei, la platea che da tanti anni gli è fedele [...]»
Leo Pestelli, «La Stampa», Torino, 28 marzo 1964.

OPERAZIONE SAN GENNARO (1966)
Regia di Dino Risi

Totò interpreta don Vincenzo 'o Fenomeno.

Tre malfattori, Jack, Maggie e Frank, giunti a Napoli dall'America per rubare il tesoro di San Gennaro, chiedono aiuto a don Vincenzo 'o Fenomeno. Costui vive in carcere da nababbo, riverito e servito come se fosse il cliente di un albergo di lusso e comanda ancora la malavita partenopea. Su sua indicazione, la banda si rivolge a Dudù, un giovane guappo specializzato in furti, il quale appena sa che la posta in gioco è il tesoro del santo protettore di Napoli, chiede aiuto a don Vincenzo. Quest'ultimo gli consiglia di rivolgersi direttamente a San Gennaro che gli darà un segno per indirizzarlo nel migliore dei modi. Dudù si reca allora al Duomo, rassicura il santo che il suo tesoro resterà a Napoli e verrà impiegato per migliorare le condizioni della città e rimane in attesa. Un raggio di sole che illumina la statua di San Gennaro viene interpretato come un cenno di assenso e il colpo è deciso. Il furto, fissato per l'ultima serata del Festival della canzone napoletana che polarizza l'attenzione della gente svuotando le strade, riesce. Maggie, però, tradisce i compari e scappa col tesoro che viene recuperato da Dudù e, attraverso una serie di peripezie, ritorna alla chiesa nelle mani dell'arcivescovo di Napoli. Dudù diventa un eroe nazionale per aver restituito i gioielli a San Gennaro, col beneplacito di don Vincenzo che dalla galera vede e provvede.

«[...] Il regista Dino Risi si esprime con spontanea freschezza. Tale, benché milanese, da mostrare d'aver assorbito i valori di una Napoli dove il colore e lo strepito esaltano la verità umana. Gli attori sono spassosi e più ancora le macchiette fra le quali giganteggia ovviamente Totò [...]»
«Il Corriere della Sera», Milano, 26 novembre 1966.

«[...] L'architettura del film è sviluppata su una struttura di paradossali avventure comiche e farsesche, di imprevisti, di qui pro quo, su uno sfondo popolaresco disegnato con abilità e valendosi di caratteri e di figure minori costruite con un certo gusto. Domina su ogni altro don Vincenzo 'o Fenomeno, impersonato da Totò, che dà al personaggio una impronta di autentico realismo [...]»
Angelo Solmi, «Oggi», Milano, 22 dicembre 1966.

CAPRICCIO ALL'ITALIANA (1968)
IL MOSTRO DELLA DOMENICA (primo episodio)
Regia di Steno

Totò interpreta il Mostro.

Servendosi di vari travestimenti, un misterioso individuo fa sparire i ragazzi con i capelli lunghi e viene braccato dalla polizia come il "mostro". In realtà si tratta di un maturo signore il quale identifica nei capelli il simbolo del disordine e della corruzione giovanile e rapisce i capelloni per raparli a zero. Il commissario di polizia, dapprima è ostile al "mostro", poi si ricrede e gli affida il figlio, anche lui da rapare. Il film consente a Totò di esibirsi nei panni del prete, dello zampognaro e persino di una prostituta. Naturalmente bruttissima.

CHE COSA SONO LE NUVOLE? (terzo episodio)
Regia di Pier Paolo Pasolini

Totò interpreta Jago.

Sul rozzo palcoscenico di un teatrino di periferia, un burattinaio mette in scena Otello. Il moro di Venezia è Ninetto Davoli, Jago è Totò, due marionette dai sentimenti umani, scontente del loro stato: sono troppo buone per interpretare i ruoli da malvagi. La recita degenera in una rissa in cui il pubblico fa a pezzi i burattini e Jago e Otello finiscono nell'immondizia. Scaricati in un mucchio di rifiuti, ormai inservibili, restano con gli occhi aperti a fissare il cielo e le nuvole, in un'amara metafora della condizione umana.

«[...] Il meglio sta nell'ultima fàtica dell'indimenticabile Totò, nei due capitoli che sembrano riassumere il suo incontro col cinema: l'attore comico che riscattava con la mimica e la battuta i gracili copioni, il personaggio umoristico-poetico così pateticamente umano [...]»
Piero Virigintino, «La Gazzetta del Mezzogiorno», Bari, 16 aprile 1968.

«[...] Totò da accostumato e stravagante conformista ha

modo di far vedere le sue sperimentate "macchiette", non di più. Il regista è quasi assente, si è solo adoperato a aiutarlo con un canovaccio più attuale. E il "capriccio" è divertente per merito e per colpa del comico così sfacciatamente esibito a tirare avanti con gli occhi chiusi [...]»
Alfonso Gatto, «Vie Nuove», Roma, 30 maggio 1968.

FILM PER LA TELEVISIONE

IL TUTTOFARE (1967)
Regia di Daniele D'Anza

Totò interpreta Rosario di Gennaro, detto Lollo.

È uno degli special televisivi girati da Totò nel 1967, andato in onda su quello che allora si chiamava Programma Nazionale il 10 maggio 1967, alle ore 21. Al soggetto e alla sceneggiatura di Sergio Corbucci e Michele Galdieri collaborò anche il comico, riproponendo lo sketch de «Il parrucchiere per signora», tratto dalla rivista *Badi che ti mangio* di Michele Galdieri. L'ascolto fu di sedici milioni di spettatori.

TOTÒ CIAK (1967)
Regia di Daniele D'Anza

Si tratta di uno special televisivo dedicato al cinema che fa la parodia ai film western e a quelli di spionaggio, in voga in quegli anni. Trasmesso dal Programma Nazionale l'8 giugno 1967 alle ore 21, polarizzò l'attenzione di tredici milioni di utenti.

IL LATITANTE (1967)

Regia di Daniele D'Anza

Totò interpreta Gennaro La Pezza.

È uno special televisivo ispirato al soggetto di un film mai realizzato, *Le belve*, scritto nel '64 da Bruno Corbucci e Gianni Grimaldi. Gennaro La Pezza, di professione ladro, torna in libertà dopo un periodo di detenzione e ricomincia subito a truffare il prossimo. Le sue vittime non si contano, ma Totò è così divertente che il pubblico parteggia per il ladro. Non sempre, almeno nel campo dello spettacolo, l'onestà paga. *Il latitante* fu trasmesso per la prima volta il 4 maggio 1967 sul Programma Nazionale alle 21 e replicato il 30 giugno 1978 alle 20,40.

IL GRANDE MAESTRO (1967)

Regia di Daniele D'Anza

Totò interpreta il maestro Mardocheo Stonatelli.

Il soggetto a cui Totò collaborò con Bruno Corbucci, racconta le peripezie di un maestro di musica, Stonatelli di nome e di fatto, che cerca di affermarsi nell'ambiente artistico, col problema di sbarcare il lunario. Ma la vocazione è più forte della fame e la musica, anzi... la moseca è una cosa meravigliosa. La storia è ispirata alla celebre farsa napoletana *La camera affittata a tre* e ha per finale la marcia dei bersaglieri con cui Totò chiudeva le sue riviste. *Il grande maestro* fu trasmesso in televisione sul Programma Nazionale il 13 maggio 1967, alle ore 21, con un ascolto di diciassette milioni e duecento telespettatori.

PREMIO NOBEL (1967)

Regia di Daniele D'Anza

Totò interpreta Severino Bolletta.

È la storia di un fantasioso inventore depositario di brevetti improbabili come quello delle campane «sbatocchiate» e altre amenità del genere. Nel film è riproposto il famoso sketch de «Il vagone letto» con Mario Castellani, la più famosa «spalla» di Totò, e Sandra Milo, nel personaggio della bella in *guepière* che induce in tentazione i due ingenui viaggiatori. *Premio Nobel* fu trasmesso dalla televisione il 6 luglio del '67 dal Programma Nazionale.

TOTÒ ANTOLOGIA e TOTÒ ANTOLOGIA 2

Si tratta di due raccolte di esibizioni televisive di Totò. La prima contiene *Totò yè yè* (1967), *Totò a Napoli* (1967) e *Festeggiamenti* (1963). La seconda è composta da *Totò ciak* (1967), *Il Musichiere* (1958) e *Studio Uno* (1967).

Bibliografia

Caldiron, Orio, *Totò,* Gremese, Roma 1980.

De Curtis, Liliana, *Totò mio padre,* a cura di Matilde Amorosi, Mondadori, Milano 1990.

Fo, Dario, *Totò, manuale dell'attor comico,* Aleph, Torino 1991.

De Curtis, Liliana, *A prescindere,* a cura di Matilde Amorosi, Mondadori, Milano 1992.

Totò, *Siamo uomini o caporali?* a cura di Matilde Amorosi e Alessandro Ferraù, con la collaborazione di Liliana de Curtis, Newton Compton, Roma 1993.

Totò, *Parli come badi,* a cura di Matilde Amorosi, con la collaborazione di Liliana de Curtis, Rizzoli, Milano 1994.

Le battute su...

INDICE

Finito di stampare nel mese di aprile 1995
presso il Nuovo Istituto Italiano d'Arti Grafiche
Bergamo
Printed in Italy